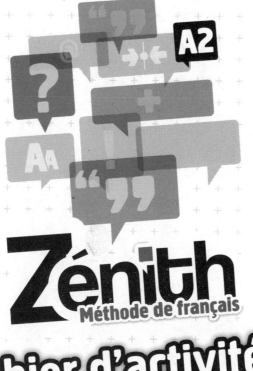

A2

Zénith
Méthode de français

Cahier d'activités

REINE MIMRAN - SYLVIE POISSON-QUINTON

2

CLE
INTERNATIONAL

Direction de la production éditoriale : Béatrice Rego

Marketing : Thierry Lucas

Édition : Anne-France Poissonnier

Couverture : Miz'enpage, Lucia Jaime

Mise en pages : Domino

Illustrations : Esteban Ratti

Recherche iconographique : Clémence Zagorski

Crédits photos : p. 42 : © Graphies.thèque - Fotolia.com

sommaire

Parlez-moi de vous

Vocabulaire

• Des noms
un accent (m)
un acteur (m), une actrice (f)
l'amour (m)
l'architecture (f)
le bonheur (m)
une cafétéria (f)
un centre (m)
un chien (m)
un correspondant (m), une correspondante (f)
une émission (de radio, de télévision) (f)
un enfant (m)
la fin (f)
une fois (f)
un genre littéraire
une guitare (f)
un lac (m)
les médias (m, pl)
la musique (f)
un oncle (m)
un orchestre (m)
une oreille (f)
un(e) partenaire (m/f)
un pays (m)
une pièce de théâtre (f)
une place (f)
un plan (m)
un prénom (m)
une série télévisée
un sorcier (m)
une star (f)
le tournage d'un film (m)
une tante (f)
une ville (f)
un violon (m)
les yeux (m, pl) - Attention : singulier : un œil (m)

• Des adjectifs
chaque
court, courte
francophone
gai(e)
heureux, heureuse
lourd, lourde
merveilleux, merveilleuse
mince
romantique
sérieux, sérieuse
stressé(e)
triste

• Des verbes
aider quelqu'un (à faire quelque chose)
choisir
se coucher
croire
demander à quelqu'un de faire quelque chose
espérer
faire la connaissance de quelqu'un
jouer un rôle
jouer au, à la, aux (+ sport ou jeu de société)
jouer du, de la (+ instrument de musique)
se lever
recevoir quelqu'un ou quelque chose
répondre à quelqu'un
retourner à
rire
terminer
se tromper

• Des mots invariables
à partir de
assez, pas assez
au bord de
en partie
près de
si
tard
tôt

• Manières de dire
Attendez !
avoir une bonne oreille
de l'autre côté
Ça se passe bien. / Ça se passe mal.
faire la connaissance de quelqu'un
juste (= exactement)
On se voit. = On se rencontre.
un rôle en or
un week-end sur deux
Vive...!
Vous avez raison.
C'est quelqu'un de merveilleux.

Voyage, voyage

Écoutez

1 Écoutez et cochez ce que vous entendez. ◉

1. ❑ **a)** C'est très facile pour moi !   ❑ **b)** Ce n'est pas facile pour moi !

2. ❑ **a)** Je suis désolé, excusez-moi !   ❑ **b)** Je me suis trompé, excusez-moi !

3. ❑ **a)** Il va souvent à Bruxelles.   ❑ **b)** Il vient souvent à Bruxelles.

4. ❑ **a)** Vous pouvez m'aider ?   ❑ **b)** Vous pouvez nous aider ?

2 Écoutez et complétez. ◉

Attention, attention, le train numéro .... à destination de Bruxelles, départ 18h34, voie 13. Le train est .... arrêt jusqu'à Bruxelles. Les personnes accompagnant les .... sont priés de descendre du train. Attention à la fermeture des .... Attention au .... !

Vocabulaire

3 Complétez.

a) le père et la ....   **c)** le fils et la ....   **e)** le .... et la sœur

b) le .... et la grand-mère   **d)** l'oncle et la ....   **f)** le .... et la femme

4 Complétez avec : *copain – études – femme – fils – fois – oncle – train – voyage.*

Samedi dernier, je suis allé à Bruxelles pour voir mon .... (le frère de ma mère) et sa .... Je les aime beaucoup et je vais les voir assez souvent, à peu près une .... par mois. J'aime bien Bruxelles et le .... n'est pas long, à peine une heure et demie. Dans le ...., j'ai rencontré Laurent, un .... avec qui j'ai fait mes .... à Paris. Il a beaucoup changé : maintenant, il est très sérieux, il est marié et il a un .... de trois ans !

5 Reliez.

a) Vous allez à Londres toutes les semaines ?   •   •   **1)** Mais oui ! Excusez-moi !

b) Vous pouvez m'aider, s'il vous plaît ?   •   •   **2)** Oui, ils habitent à Liège.

c) Vous ne parlez pas italien ?   •   •   **3)** Bien sûr, avec plaisir !

d) Vous vous êtes trompé, je crois.   •   •   **4)** Oui, vous avez raison, ce n'est pas facile !

e) Vous allez chez vos parents ?   •   •   **5)** Mais si, je suis née à Milan.

f) C'est difficile pour vous, n'est-ce pas ?   •   •   **6)** Oui, chaque semaine.

Grammaire

6 Complétez avec la préposition qui convient : *à – avec – chez – de – en – sans – sur*.

a) Tu sais, le nouveau TGV va faire Paris-Marseille .... deux heures. – Et pour aller .... Lyon ? – .... Paris .... Lyon ? Une heure.

b) Vous prenez le menu .... 16 euros ? C'est le menu .... une entrée ou un dessert. Qu'est-ce que vous préférez ? Une entrée ou un dessert ?

c) Il ne dîne pas .... ses parents tous les dimanches mais seulement un dimanche .... deux.

d) J'aimerais bien partir .... vous .... Thaïlande l'été prochain mais c'est vraiment impossible ! Comme chaque année, je vais .... Venise pour toutes les vacances.

7 Mettez ces phrases au passé composé. Attention aux accords (si nécessaire).

a) Mélissa *va* chez sa grand-mère à Nice. Elle *prend* le train à la gare de Lyon. Elle *part* à 11 h 34.
La semaine dernière, ...

b) Excusez-moi mais je pense que *vous vous trompez*, monsieur.
....

c) Alors, les enfants ? Ça va ? *Vous vous amusez* ? ....

d) Pierre, Henri et moi, *nous nous rencontrons* tous les lundis et *nous travaillons* ensemble sur ce projet.
L'année dernière, ... et ....

e) *Elle vit* au Japon mais *elle travaille* pour une société française. *Elle revient* en France au mois de juin.
....

8 Entourez la forme correcte. Attention à la phrase (e).

a) Il est venu avec son/sa/ses sœurs.

b) Est-ce que vous connaissez votre/mes/sa voisin ?

c) C'est Elisa, son/tes/sa nouvelle copine.

d) Vous avez réservé votre/tes/vos places ?

e) C'est sa/son/ma idée.

f) Ils habitent chez son/leur/leurs père.

9 Cochez la réponse qui convient.

1. Est-ce que tu vas souvent au cinéma ?
a) ❑ Non, j'y vais tous les jours.
b) ❑ Oui, j'y vais tous les jours.
c) ❑ Si, j'y vais tous les jours.

2. Tu as lu Moby Dick ? Ce n'est pas intéressant ?
a) ❑ Oui, c'est très bien.
b) ❑ Non, c'est très bien.
c) ❑ Si, c'est très bien.

3. Tu es allé à la fac aujourd'hui ?
a) ❑ Oui, j'y vais demain.
b) ❑ Non, j'y vais demain.
c) ❑ Si, j'y vais demain.

4. Elle ne peut pas vivre sans lui ?
a) ❑ Si, elle ne peut pas.
b) ❑ Si, elle peut très bien !
c) ❑ Oui, elle peut très bien.

5. Il n'est pas arrivé en retard ce matin ?
a) ❑ Non, il est arrivé en retard, comme toujours !
b) ❑ Oui, il est arrivé en retard, comme toujours !
c) ❑ Si, il est arrivé en retard, comme toujours !

10 Lisez le texte et cochez *vrai* ou *faux*.

Pas d'idée pour le week-end prochain ? Venez en Belgique, c'est super !

Pour un week-end, la Belgique, c'est l'idéal. Ce n'est pas loin de chez vous et en même temps, vous êtes dans un autre monde.

Les villes les plus visitées sont Bruxelles et Bruges mais n'oubliez pas qu'Anvers, Gand ou Liège sont aussi des villes très intéressantes à explorer.

Mais parlons de Bruxelles, d'abord, véritable capitale de l'Europe. Bruxelles, ville unique où vous avez mille choses à découvrir. Bruxelles, avec ses musées, son architecture contemporaine, ses espaces verts, sa gastronomie... Et son ambiance incomparable. Vous tomberez sous le charme de cette ville si sympathique. Mais la Belgique, ce n'est pas seulement Bruxelles.

Envie d'un beau petit diamant ? Alors, allez à Anvers. La ville est en effet le paradis pour les amateurs et amatrices de pierres précieuses.

Envie de culture ? Partez en amoureux à Bruges, la Venise du Nord. Bruges, avec ses églises, ses musées, ses canaux romantiques... Savez-vous que la ville entière est classée au patrimoine mondial de l'Unesco ?

Pour venir chez nous en Belgique depuis le centre de Paris, rien de plus facile. Nous vous conseillons de choisir le forfait train + hôtel, cela vous coûtera moins cher. Mais vous pouvez aussi choisir l'avion ou le car. De Paris à Bruxelles, il faut compter quatre heures en autocar, une heure et demie en train et une heure en avion.

a) Ce document concerne les touristes asiatiques. ❑ Vrai ❑ Faux

b) Anvers est une ville célèbre pour ses diamants. ❑ Vrai ❑ Faux

c) On peut aller de Paris à Bruxelles en car ou en train. ❑ Vrai ❑ Faux

d) Les touristes visitent surtout Liège et Anvers. ❑ Vrai ❑ Faux

À vous !

11 Vous êtes invité à un colloque à Paris.

Écrivez un mail pour annoncer votre arrivée à l'organisateur du colloque (mardi 5 novembre - 18h45 - gare du Nord). C'est lui qui viendra vous chercher à la gare. Attention, il ne vous connaît pas : vous devez faire une petite description de vous-même et lui proposer un lieu de rendez-vous précis dans la gare.

....
....
....
....
....
....
....
....

LEÇON **2**

Fais pas ci, fais pas ça

Écoutez

1 Écoutez et cochez ce que vous entendez. 🔘

1. ❑ **a)** C'est un film très romantique.   ❑ **b)** C'est un film très dramatique.

2. ❑ **a)** D'abord, je veux me reposer.   ❑ **b)** D'abord, je vais me reposer.

3. ❑ **a)** Elle se lève très tard.   ❑ **b)** Elle s'est levée tard.

4. ❑ **a)** Vous connaissez nos émissions de radio ?   ❑ **b)** Vous connaissez bien notre émission ?

2 Écoutez et répondez aux questions. 🔘

a) Comment s'appelle le film ? Les adieux ....

b) Le film se passe à quelle époque ? ....

c) Où le film a été tourné ? ....

d) Pourquoi Sidonie, la lectrice, ne peut pas imaginer que c'est un monde qui se termine ? ....

....

....

....

Vocabulaire

3 Complétez avec les mots : *comédienne – émission – film – juste – rôle – star – tournage.*

La chaîne de télévision ARTE nous a offert hier soir une très belle .... sur Isabelle Huppert. On sait que c'est une très grande .... du cinéma mais c'est aussi excellente ....

Elle nous a parlé avec beaucoup d'humour de son tout premier .... au cinéma, en 1982, dans *Les Valseuses*, un .... de Bertrand Blier.

« J'avais .... seize ans et le .... a été fantastique ! Gérard Depardieu et Patrick Dewaere étaient complètement fous ! Et moi aussi. »

Aujourd'hui, Isabelle Huppert est à la fois sur les planches, au théâtre de l'Odéon, et devant la caméra.

4 Donnez le nom qui correspond à chaque verbe ? Si vous ne savez pas, cherchez-le dans votre dictionnaire.

Par exemple : aimer → l'amour

a) arriver → l'................................   **d)** partir → le ....

b) commencer → le ....   **e)** travailler → le ....

c) dîner → le ....   **f)** voyager → le ....

Grammaire

5 Mettez les phrases au passé composé. Attention aux accords !

a) Marie-Lou *part* en vacances mercredi. Elle *va* avec son copain en Irlande. Ils *prennent* l'avion à Orly. Ils *arrivent* à 12h45. Ils *restent* à Cork deux semaines.

....

....

b) Les enfants *se lèvent* à 7h30. Ils *se douchent, déjeunent, s'habillent* et *partent* pour l'école. Ils *prennent* le car scolaire et ils *arrivent* exactement à 8h30.

....

....

6 Conjuguez au passé composé, passé immédiat ou futur proche.

a) Les cours du deuxième semestre (*commencer*) .... la semaine prochaine.

b) Désolée ! Monsieur Flamand (*sortir*) .... il y a cinq minutes. Mais il (*revenir*) .... tout de suite. Attendez-le.

c) Hier soir, Elsa (*se tromper*) .... de bus. Elle (*arriver*) .... au bureau avec une demi-heure de retard.

d) Nous adorons l'Asie. Il y a deux ans, nous (*visiter*) .... le Cambodge. Cette année, je pense que nous (*partir*) .... au Vietnam.

e) De 1999 à 2009, nous (*vivre*) .... en Norvège. Nos deux enfants (*naître*) .... à Oslo. Nous (*rentrer*) .... en France parce que mon entreprise (*ouvrir*) .... un bureau à Paris. Nous y travaillons tous les deux.

7 Mettez l'adverbe à la bonne place.

a) Alors, les enfants ? Vous vous êtes amusés ? (*bien*) ....

b) Nous travaillons pour le nouveau projet. (*beaucoup*) ....

c) Après les Jeux Olympiques, les athlètes se sont reposés. (*beaucoup*) ....

d) Il est malade parce qu'il a mangé hier soir. (*trop*) ....

8 Complétez avec *très* ou *trop*.

a) – Je suis .... fatigué en ce moment.

– C'est normal, tu sors .... !

b) – Je trouve que cette jupe est .... jolie. Pas toi ?

– Si, mais elle est .... chère ! 130 euros, c'est de la folie.

c) – Tu as vu ton copain ?

– Non, je suis arrivée .... tard, il était déjà parti.

d) – Elle est .... jolie, elle s'habille .... bien, elle est .... intelligente.

Mais je trouve qu'elle est un peu .... contente d'elle !

À vous !

9 Lisez et répondez par *Vrai* ou *Faux*.

Tous au festival Lumière de Lyon !

Le festival Lumière, c'est bien sûr à Lyon, la ville des frères Lumière. C'est là qu'ils ont réalisé, chez eux, le premier film du monde, *La sortie des usines Lumière*, en 1895. Et c'est en 2009 que deux autres Lyonnais, Thierry Frémaux, directeur du Festival de Cannes, et Bertrand Tavernier, cinéaste très célèbre, ont créé ce festival.

Du 15 au 22 octobre, plus de 200 films venus du monde entier sont à voir ou à revoir, c'est-à-dire plus d'un siècle de cinéma à parcourir, depuis les premiers films muets des années 1900 aux plus récentes réalisations.

Pendant le festival, vous pouvez voir des films, bien sûr, et aussi assister à des rencontres, des débats, des conférences ou encore voir des expositions de photos et d'affiches. Mais la fête est aussi hors des salles. On vous l'a dit : c'est la ville tout entière qui fait la fête...

a) Le festival Lumière est consacré aux films des 19e et 20e siècles. ❏ Vrai ❏ Faux

b) Bertrand Tavernier est né et a vécu à Lyon. ❏ Vrai ❏ Faux

c) Au cours du festival, on peut voir des films français et étrangers. ❏ Vrai ❏ Faux

d) Toute la ville de Lyon est éclairée de mille lumières en octobre ❏ Vrai ❏ Faux

10 Cherchez sur Internet des informations sur les frères Lumière et écrivez une petite chronologie.

....
....
....
....
....
....
....
....
....
....
....
....
....
....
....
....
....
....

Un succès international

Écoutez

1 Écoutez et cochez ce que vous entendez. 🔘

1. ❏ **a)** Il adore jouer au football.   ❏ **b)** J'aime bien jouer au football.

2. ❏ **a)** C'est un concert de musique classique.   ❏ **b)** C'est un orchestre de musique classique.

3. ❏ **a)** Si tu es stressé, repose-toi.   ❏ **b)** Tu es fatigué ? Repose-toi !

4. ❏ **a)** On va boire un thé ?   ❏ **b)** Tu veux boire un thé ?

2 Écoutez et répondez par *Vrai* ou *Faux*. 🔘

	Vrai	Faux
a) Les parents de Paola sont partis en Argentine en septembre 1994.	❏	❏
b) Elle a la double nationalité, française et argentine.	❏	❏
c) Elle étudie l'économie dans une université canadienne.	❏	❏
d) Elle a un copain argentin qui habite à Cordoba.	❏	❏
e) Son copain va la voir une fois tous les deux mois.	❏	❏

Vocabulaire

3 Chassez l'intrus.

a) superbe - magnifique - stressé - excellent - parfait - merveilleux

b) dormir - se lever - se coucher - se promener - se dépêcher - se réveiller - se reposer

4 Donnez le contraire de ces adjectifs. Vous ne savez pas ? Cherchez dans votre dictionnaire.

a) vieux ≠ ....   **e)** froid ≠ ....

b) possible ≠ ....   **f)** grand ≠ ....

c) maigre ≠ ....   **g)** compliqué ≠ ....

d) beau ≠ ....   **h)** désagréable ≠ ....

Grammaire

5 *Depuis* ou *il y a* ? Complétez.

a) Il est arrivé à Londres .... exactement trois semaines.

b) Vous étudiez le français .... longtemps ?

c) Nous nous sommes rencontrés à Marseille .... plus de trente ans et .... ce jour-là, nous sommes toujours restés amis.

d) La bibliothèque est fermée .... le 13 juillet.

e) Il a beaucoup changé .... son mariage. Il est devenu très sérieux !

f) Ton frère a appelé .... cinq minutes. Tu dois le rappeler chez lui.

g) J'ai rencontré ses parents une seule fois. C'était .... deux ans.

6 Conjuguez à l'imparfait. (Vérifiez dans votre précis grammatical, page 150)

a) Avant, nous (faire) .... un échange de maison avec des amis italiens pendant les vacances. Nous (aller) .... chez eux à Florence et eux, ils (venir) .... chez nous à Genève.

b) Quand Maxime (être) .... petit, il (vouloir) .... être vétérinaire. Il (passer) .... son temps à lire des livres sur les animaux.

c) Vous (être) .... stressé quand vous (avoir) .... des examens ?

d) Tu (savoir) .... que les cours (finir) .... à six heures ?

e) Quand ton fils (être) .... bébé, tu le (mettre) .... à la crèche ou il (avoir) .... une nounou ?

7 Complétez le texte avec : *il était comme toujours – nous adorions – comme j'étais un peu en avance – il était très sympa avec tous les élèves – je mourais de soif – je ne comprenais rien aux maths.*

Vendredi dernier, comme tous les vendredis, j'ai pris le train pour Rouen .... , je suis allé à la cafétéria pour boire une bière parce que .... Incroyable ! Juste à côté, j'ai vu notre ancien professeur de mathématiques au lycée. .... : mêmes cheveux en bataille, même barbe, même veste rouge. Tu te souviens de lui ? Loiseau !

C'est un professeur que .... parce qu(e) .... , même avec moi (et .... !). Nous avons bavardé un bon quart d'heure avec un grand plaisir.

8 Répondez en utilisant *l', le, la, les* ou *lui, leur*.

Exemple : Vous regardez souvent <u>la télévision</u> ? Oui, je <u>la</u> regarde souvent.

a) Tu connais <u>mes copains mexicains</u> ? Non, je .... , tu me .... présentes ?

b) Vous avez parlé de moi <u>au directeur du journal</u> ? Oui, ... mardi soir.

c) Elle a aidé <u>son copain</u> pour préparer son exposé ? Oui, ...

d) Il a expliqué la situation <u>à ses parents</u> ? Oui, ... mais ils n'ont rien voulu savoir !

e) Tu as vu <u>Laure</u> ce matin ? Non, ... ce soir.

f) Tu comprends <u>l'exercice de grammaire</u>, toi ? Oui, ... , c'est assez facile.

g) Tu as dit la vérité <u>à ta mère</u> ? - Oui, bien sûr, je ....

À vous !

9 Lisez le texte et préparez votre voyage.

Vous voulez découvrir l'Europe, visiter des villes, rencontrer des gens... Vous avez deux possibilités.

Vous êtes résident d'un pays européen ? Alors, utilisez l'**InterRail Pass**. Vous pouvez l'utiliser dans 30 pays européens (attention, pas dans votre pays !) et il est très économique.

Vous n'êtes pas résident européen ? L'**Eurail Pass** est fait pour vous.
InterRail pass ou Eurail Pass ? Dans les deux cas, c'est vous qui décidez de votre voyage, de votre trajet, des pays que vous allez traverser.
Une idée des prix ? Par exemple, vous voulez voyager dans toute l'Europe pendant quinze jours entre le 1er juin et le 31 août ? Cela vous coûtera moins de 400 euros. Mais il y a aussi d'autres forfaits, plus courts et moins chers.

Vous voulez découvrir l'Italie, la Slovénie et la Grèce. Vous êtes libre entre le 1er et le 25 août.

Faites votre itinéraire à l'aide d'une carte d'Europe, choisissez votre Pass et préparez en quelques lignes votre voyage.

....

....

....

....

....

....

....

....

....

....

10 Lisez et répondez par *Vrai, Faux* ou *On ne le dit pas.*

Étudier en France

La France est le troisième pays pour l'accueil des étudiants étrangers, après les États-Unis et le Royaume-Uni.
En France, il y a actuellement plus de 280 000 étudiants étrangers. Ce nombre est en augmentation constante depuis dix ans.
À peu près un quart des étudiants étrangers qui étudient en France viennent d'Europe.

	Vrai	Faux	On ne le dit pas.
a) Le Royaume-Uni est le premier pays européen pour l'accueil des étudiants étrangers.	❏	❏	❏
b) 18% des étudiants étrangers en France viennent de Chine.	❏	❏	❏
c) Le nombre d'étudiants étrangers en France est stable.	❏	❏	❏
d) Un étudiant étranger sur quatre est d'origine européenne.	❏	❏	❏
e) Les États-Unis accueillent plus d'étudiants étrangers que la France.	❏	❏	❏

LEÇON 4

Cherche correspondant

Écoutez

1 Écoutez et cochez ce que vous entendez.

1. ❏ **a)** C'est au nord-est de la Suisse. ❏ **b)** C'est au sud-ouest de la Suisse.
2. ❏ **a)** Vous avez un joli prénom. ❏ **b)** Vous avez un très joli nom.
3. ❏ **a)** On s'entend très bien. ❏ **b)** On n'entend rien !
4. ❏ **a)** J'aime bien écrire en français. ❏ **b)** Tu veux écrire en français ?

2 Écoutez. À l'oral, la lettre e n'est pas toujours prononcée. Barrez les lettres e que vous n'entendez pas.

Exemple : C'est le Président de la République.

a) Je n'ai pas de frère, pas de sœur. **d)** C'est quelqu'un de merveilleux !
b) Je viens de Montréal. **e)** On se repose un peu ?
c) On se voit le week-end. **f)** Tu joues de la guitare ?

3 Écoutez et répondez aux questions.

a) La tante de Johanna habite au Canada. Dans quelle ville ? ....
b) À votre avis, où est-ce que Johanna habite ? ....
....
c) Pourquoi l'automne est la meilleure saison pour visiter le Canada ? ....
....

Vocabulaire

4 Classez ces noms en deux catégories : noms de pays et nationalité.

Allemagne - Danemark - Malgache - Suède - Suisse - Pologne - Suédois - Pérou - Ghana - Cuba - Espagne - Suisse - Portugal - Péruvien - Norvégien - Allemand - Danois - Ghanéen - Madagascar - Cubain - Espagnol - Polonais - Norvège - Portugais

Noms de pays	Noms de nationalité

5 Lisez cette description et répondez à la question.

> Fanny a vingt-deux ans. Elle est grande, très mince et toujours gaie. Elle adore parler, rire, chanter... Elle est toujours de bonne humeur. Elle a des cheveux très courts, et de grands yeux bruns. Elle est très originale, elle aime bien s'habiller avec des choses bizarres...

Qui est Fanny ? Cochez.

a) ❑   b) ❑   c) ❑   d) ❑

Grammaire

6 Entourez le pronom qui convient.

a) Et tes parents ? Tu *lui - les - leur* as écrit depuis ton arrivée ?

b) J'ai rencontré Claudia hier soir mais je ne *l' - la - lui* ai pas parlé.

c) Michaël a téléphoné. Vous devez *le - lui - leur* rappeler avant midi.

d) C'est mon mari. Je *l' - la - lui* ai rencontré il y a deux ans.

e) Ce sont mes voisins, mais je ne *le - les - leur* connais pas très bien.

f) Je *l' - les - leur* ai envoyé trois messages, mais ils n'ont pas répondu.

7 Passez du discours indirect au discours direct.

Exemples : Vanessa dit qu'elle est très fatiguée. → *Vanessa : « Je suis très fatiguée ». Le médecin lui a dit de se reposer.* → *Le médecin : « Reposez-vous ! »*

a) La mère a demandé à ses enfants d'aller se coucher. → ....

....

b) La dame dit aux touristes de prendre la deuxième rue à gauche. → ....

....

c) J'ai dit à mon frère de faire attention aux pickpockets. → ....

....

d) Elle m'a promis de m'écrire tous les jours. → ....

....

e) Je lui ai dit de me téléphoner ou de m'écrire un e-mail à son arrivée. → ....

....

8 Passez du discours direct au discours indirect.

Exemple : Anna : « Aide-moi, s'il te plaît. » → *Anna a demandé à son frère de l'aider.*

a) « Prends ton manteau. » → Je lui ai dit ....

b) « Viens avec moi au cinéma si tu veux. » → Emma a proposé à Alexandre ....

....

c) « Tournez à gauche et continuez tout droit. » → J'ai dit au touriste japonais ....

....

d) « Faites vos devoirs, prenez une douche et allez vous coucher. » → La mère demande à ses filles ....

....

e) « Faites attention à l'orthographe. » → Le professeur va nous dire ....

À vous !

9 Lisez et répondez aux questions.

BONNE RENTRÉE À TOUS

Bonjour, cher/chère ami(e) !

Si tu viens d'arriver à Zurich, nous te souhaitons la bienvenue parmi nous. Tu vas voir, il y a beaucoup de francophones ici.

Notre association, l'AFEZ, aide les étudiants de France, de Suisse romande et d'ailleurs dans cette ville !

Nous allons bientôt organiser une petite fête de rentrée pour permettre aux nouveaux étudiants francophones de Zurich de se rencontrer !

Parles-en à tes copains. Tout le monde est invité, il y aura du vin, des chips et de la bière pour tout le monde !

À bientôt,

L'Association Francophone des Étudiants de Zurich

a) Que veut dire AFEZ ? ....

b) Où est-ce que cette association se situe ? ....

c) Quelle est son activité ? ....

d) À qui ce message s'adresse ? ....

Civilisation

La francophonie en Europe, c'est bien sûr la Belgique, la Suisse... et la France. Mais c'est aussi le Luxembourg, la principauté de Monaco, l'Andorre...

1 Vous connaissez l'Andorre ? Lisez le texte et répondez aux questions.

Située entre la France et l'Espagne, dans le massif des Pyrénées, l'Andorre est une principauté très ancienne (elle existe depuis Charlemagne). Elle est indépendante depuis 1993.

Il n'y a que 80 000 habitants. Mais chaque année, huit millions de touristes passent par l'Andorre. Le plus souvent, c'est pour faire des achats : ils repartent chez eux avec la voiture pleine d'alcools, de cigarettes ou de cigares, de parfums, de bijoux, de vêtements... En effet, il n'y a presque pas de taxes sur tous ces produits qui sont donc beaucoup moins chers qu'en France ou en Espagne.

Mais l'Andorre, ce n'est pas seulement un gigantesque supermarché et des embouteillages ! C'est un pays magnifique, la montagne est superbe. Vous pouvez y faire du ski l'hiver, de l'escalade ou des randonnées l'été. Et les Andorrans sont très sympathiques.

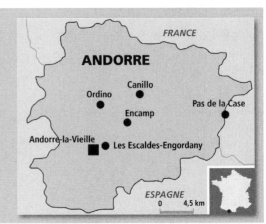

a) À quelle phrase du texte chaque dessin correspond ?

1. ....
....
....

2. ....
....
....

3. ....
....
....

4. ....
....
....

b) Où se situe l'Andorre ? ....

c) Les touristes sont très nombreux en Andorre. Pour quelle raison surtout ? ....
....

2 Cherchez sur Internet.

a) La capitale de l'Andorre est ....

b) Est-ce que l'Andorre fait partie de l'Union Européenne ? ....
....

Qu'est-ce qu'on peut faire ?

Vocabulaire

• Des noms

de l'alcool (m)
une ceinture (f)
un conseil (m)
un départ (m)
un entraîneur
une équipe de football
des épinards (m pl.)
la faim (f)
un fromage, du fromage (m)
une galerie d'art
un gilet de sécurité (m)
un guide
de la gymnastique (f)
un hôtel particulier (m)
un jardin (m)
une main (f)
un médicament (m)
un melon (m)
une merveille (f)
un million (m)
un musée (m)
du pain (m)
une pizza (f)
une pomme (f)
un poulet, du poulet (m)
un régime (alimentaire) (m)
une route (m)
une saison (f)
la santé (f)
un soda (m)
la soif (f)
une statue (f)
un triangle de signalisation (m)

• Des adjectifs

bio, biologique
dangereux, dangereuse
fou, folle
interdit, interdite
mauvais, mauvaise
meilleur(e)
obligatoire
ouvert, ouverte
permis, permise
sucré(e)
sûr(e)
surgelé (un produit surgelé)
unique

• Des verbes

annoncer
arrêter

s'arrêter
s'assoir
attacher
attendre
conduire
courir
donner quelque chose à quelqu'un
être allergique à quelque chose
fermer
grossir
maigrir
ouvrir
penser à faire quelque chose
perdre
sonner
souffrir
visiter

• Des mots invariables

à côté de
facilement
jamais
mieux (comparatif de bien)
plusieurs
sauf (= excepté)
toujours

• Manières de dire

avoir besoin de...
avoir envie de...
avoir faim
avoir soif
avoir la ligne, garder la ligne
C'est bon pour la ligne.
Bisous
Bonne journée !
Bonnes vacances ! Bonne route !
Ça fait combien ? (En tout, ça coûte combien ?)
Ça y est !
C'est tout ?
être en bon état, être en mauvais état
D'abord...
Ensuite...
Et puis...
Enfin...
On a le temps.
Oh, ma pauvre !
Prudence !
de temps en temps
faire un régime
Vous avez raison
Voyons

OBJECTIFS

- Faire un projet : proposer une sortie, une visite, une exposition
- Faire des achats, conseiller ou déconseiller quelque chose
- Vocabulaire : les musées, les achats, les départs en vacances
- Grammaire : comparatifs et superlatifs – *ce, cet, ces* – le *y* de lieu – les quantitatifs – l'expression de l'ordre, de la défense, de l'obligation – le pronom *en* – *ne... jamais, ne... plus*

Une visite au musée Rodin

Écoutez

1 Écoutez et cochez ce que vous entendez.

1. ❏ **a)** C'est le plus beau musée de Paris.   ❏ **b)** C'est un très beau musée à Paris.

2. ❏ **a)** On déjeune d'abord et on part ensuite.   ❏ **b)** On part et on déjeune ensuite.

3. ❏ **a)** Tu aimes quelle saison ?   ❏ **b)** Tu aimes cette saison ?

4. ❏ **a)** Ça ouvre à dix heures et ça ferme à six heures.   ❏ **b)** Ça ferme à cinq heures ou à six heures ?

2 Écoutez deux fois et complétez.

En ce moment, au musée du Louvre, il y a une belle .... sur les derniers .... de Raphaël.

Il y en a une centaine, tous très beaux. Il y a aussi des ....

Le musée .... à 9 h et ferme à 18 h.

Mais le .... et le vendredi, il reste ouvert jusqu'à ....

Attention, le musée du Louvre est fermé le mardi. L'entrée coûte ....

Vocabulaire

3 Trouvez le mot pour chaque définition. (Le mot est dans la leçon.)

a) Ça commence le 21 mars et ça finit le 21 juin. → le ....

b) Rodin en a fait beaucoup. → des ....

c) Quand ce n'est pas fermé, c'est ....

4 Complétez avec *longtemps – de temps en temps – tôt – tard – tout de suite – souvent.*

a) Bonjour, vous attendez depuis .... ? – Non, depuis cinq minutes. – Asseyez-vous. Le docteur arrive ....

b) Moi, j'aime bien me lever ...., à 6 h ou 7 h. Mais mon fils, c'est tout le contraire, il adore dormir.

c) Vous allez .... au restaurant ? – Non, pas régulièrement. Mais nous y allons ...., une fois par mois

à peu près.

d) Désolé, j'ai un problème. Je vais arriver un peu plus .... à la réunion. Commencez sans moi.

Grammaire

5 Complétez avec *ce*, *cette* ou ces.

a) Regarde .... pantalon gris, il est super. Et .... jupe noire !

b) Qu'est-ce que tu regardes ? .... bottes noires ? Elles ne sont pas terribles !

c) .... année, on ne part pas en vacances, on reste à la maison.

d) Tu as vu .... fille blonde ? Je crois que c'est la copine de Maxime.

6 Répondez en utilisant « y ». (Attention à sa place.)

a) – Vous allez à Londres ce week-end ? – Oui, nous ....

b) – Tu veux bien aller au marché ? Moi, je n'ai pas le temps. – Oui, bien sûr, j(e) .... à ta place.

c) – Vous êtes allé en vacances en Turquie cette année ? – Non, j(e) .... l'année dernière.

d) – Il va à la fac en bus ou en voiture ? – Non, il .... à pied ou à bicyclette.

e) – Vous avez habité New-York combien de temps ? – Oh, nous .... plus de vingt ans !

7 À votre avis, qu'est-ce que représente « y » dans ces phrases ? Imaginez.

a) Oh non, je ne veux pas y aller toute seule ! Viens avec moi ! ....

b) J'aimerais beaucoup y partir en vacances mais c'est vraiment très loin de chez moi ! ....

c) On y parle deux langues, l'anglais et le français. ....

d) Allez, il est huit heures, les enfants ! Il faut y aller et vite ! ....

8 Répondez comme dans l'exemple.

Je trouve que les Martin sont un peu fous. Pas toi ? → *Non, moi, je* **les** *trouve plutôt sympas.*

a) Tout le monde trouve Johnny Depp super dans ce film. → Moi aussi, je ....

b) Je trouve que ces chaussures sont trop tristes. Et toi ? → Non, moi, je .... très bien.

c) Tu ne trouves pas que je suis trop maigre ? → Oui, je .... un peu maigre. Il faut manger, ma petite !

d) Qu'est-ce que tu penses de ma robe ? Tu l'aimes ? → Hum, je .... un peu trop courte.

9 Complétez avec le comparatif qui convient.

a) Elle est .... grande que sa sœur : elles mesurent exactement 1,75 m chacune.

b) Il faut manger beaucoup le matin et très peu le soir : c'est .... pour la santé.

c) Éric travaille beaucoup .... que son copain Hugo. Mais la vie n'est pas juste : il réussit .... bien que Hugo !

d) C'est normal, Éric est toujours .... stressé que Hugo le jour des examens.

À vous !

10 **Lisez ce texte et répondez aux questions par une phrase complète.**

Le musée Gourmand du Chocolat, à Paris

Le musée Gourmand du Chocolat, ouvert tous les jours de 10 h à 18 h, est entièrement consacré au chocolat. Après les musées de Bruges (2004) et de Prague (2008), Eddy Van Belle, passionné de chocolat, a ouvert ce musée en 2010.
Il nous présente sa collection d'art : plus de dix mille objets liés à ce thème.
On nous explique d'abord l'origine du chocolat : le cacaoyer (l'arbre à cacao) vient d'Amérique centrale et il est connu depuis 4000 ans, c'est-à-dire bien avant les Mayas.
Une seconde partie de l'exposition est consacrée à l'arrivée du chocolat en Europe, après la conquête de l'Amérique. Vers 1750, on ouvre un peu partout des cafés, des salons de thé et des « Salons du chocolat ».
Voici pour la partie historique, très bien documentée. On passe ensuite à la pratique ! On nous explique comment se fabrique le chocolat... et les visiteurs peuvent déguster différents types de chocolat.
Avant de partir, il faut faire un tour dans la boutique où l'on peut acheter des souvenirs (livres, images, objets...) et, bien sûr, du chocolat sous toutes ses formes.

a) Le chocolat vient de quelle région du monde ? ....

b) On connaît le chocolat depuis quand en Europe ? ....

c) Quand Eddy van Belle a ouvert son premier musée ? ....

d) Est-ce qu'on peut visiter le musée le dimanche ? ....

e) On peut acheter du chocolat dans ce musée ? ....

11 **Lisez le texte et donnez votre avis.**

Le chocolat, c'est bon pour la santé.

Vous êtes fatigué, déprimé, stressé ? Vous n'avez envie de rien, vous manquez d'énergie...
Croquez un peu de chocolat et votre moral va aller mieux.
Pourquoi ? Parce que le chocolat, surtout le chocolat noir, contient du magnésium.
Et le magnésium, c'est bon pour le moral ! Mais il est aussi bon pour le cœur : il fait baisser la tension. Et si vous avez les os fragiles, le magnésium vous aide à les consolider.

À votre avis est-ce que me chocolat est toujours bon pour la santé ?

Manger du chocolat, ce n'est pas très bon pour la santé parce que ....

....

....

....

Encore un régime !

Écoutez

1 Écoutez et cochez ce que vous entendez. ⊙

1. ❑ **a)** Dans un mois, c'est les vacances.   ❑ **b)** Dans un mois, je pars en vacances.
2. ❑ **a)** Tu ne manges plus de gâteaux ?   ❑ **b)** Tu ne veux plus de gâteaux ?
3. ❑ **a)** Les frites, c'est bon mais ça fait grossir.   ❑ **b)** Je trouve que les frites, ça fait grossir.
4. ❑ **a)** On va manger de la salade et des légumes.   ❑ **b)** J'aime bien la salade et les légumes.

2 Écoutez et répondez par *Vrai* ou *Faux*. ⊙

	Vrai	Faux
a) Elle dit qu'il faut faire du jogging tous les dimanches.	❑	❑
b) Elle dit qu'il faut manger beaucoup de légumes verts.	❑	❑
c) Pour maigrir, on peut boire du vin mais pas de whisky.	❑	❑
d) On doit manger seulement pendant les repas.	❑	❑

Vocabulaire

3 Les verbes suivants viennent de quel adjectif ?
(Attention, donnez l'adjectif masculin.)

Exemple : grossir → devenir gros

a) maigrir → ....
b) grandir → ....
c) vieillir → ....
d) brunir → ....
e) blondir → ....
f) rougir → ....
g) noircir → ....
h) verdir → ....
i) embellir → ....
j) rajeunir → ....

4 Quel est le contraire des mots soulignés ?

a) – Vous savez si le musée du Louvre est <u>ouvert</u> le mardi ?

– Non, je crois qu'il est ....

b) – Vous habitez <u>près de</u> l'université ?

– Non, j'habite assez ...., je viens en bus.

c) – Tu ne trouves pas que j'ai un peu <u>grossi</u> ?

– Mais non ! Au contraire, tu as ....

d) – Le dernier film de Tavernier est moins <u>bon</u> que les autres, non ?

– Ah non ! Moi, je le trouve ....

e) – Elle est toujours <u>gaie</u>, c'est super !

– Ce n'est pas comme son copain ! Lui, il est toujours .... comme la pluie !

f) – J'ai <u>perdu</u> mon passeport hier. Et je ne sais pas où !

– Et moi, je l'ai ...., ton passeport ! Dans l'escalier !

Grammaire

5 Complétez avec *depuis, il y a, pendant* ou *dans.*

a) – Tu pars quand en Norvège ? Tout de suite ?

– Non, je pars .... deux mois.

– Et tu y restes longtemps ? – .... trois semaines.

b) – Vous connaissez David .... longtemps ?

– Oh, oui. Nous nous sommes rencontrés .... plus de vingt ans !

c) – Ta copine Maud se marie, n'est-ce pas ?

– Oui, ... trois jours.

– Tu es invitée à son mariage ?

– Bien sûr, c'est ma meilleure copine ! On se connaît .... l'école maternelle et on a habité ensemble .... trois ans quand on faisait nos études.

d) – Écoute, je me lève à sept heures .... toute la semaine ! Alors, le dimanche, laisse-moi dormir !

– D'accord, mais moi je pars .... cinq minutes.

6 Complétez avec *un, une / du, de la, de l', des* ou *de, d'.*

a) – Bonjour, madame, je voudrais .... baguette, s'il vous plaît.

– Oui. Et avec ça ? Nous avons .... gâteaux au chocolat, ils sont délicieux.

– Non, merci, je ne mange pas .... gâteaux, je fais un régime.

b) Pour faire un gâteau, il faut .... farine, ... œufs, ... beurre et un peu .... sel.

c) – Qu'est-ce que vous voulez boire ? .... vin, ... bière, ... eau ?

– Seulement un verre .... vin et une carafe .... eau, s'il vous plaît.

d) - Je trouve qu'elle n'a pas .... patience avec les enfants.

– Oui, mais elle leur raconte beaucoup .... histoires et elle aime beaucoup jouer avec eux.

À vous !

7 Lisez le texte et répondez à la question.

Comme beaucoup de Français, Catherine et Olivier ont suivi le régime Dukan.
Résumons les principes de ce régime. Il y a quatre moments, quatre phases :

1. une phase d'attaque « Protéines pures » pendant six jours. Ils ont mangé seulement des aliments riches en protéines : de la viande maigre (bœuf, veau), de la volaille (poulet par exemple), du poisson, des fruits de mer, des œufs, du lait à 0 % de matière grasse. Il faut boire au moins deux litres d'eau par jour.

2. une phase beaucoup plus longue (deux ou trois mois au moins) « Protéines et légumes ».
On peut manger tous les aliments de la phase d'attaque plus des légumes verts en quantité limitée.
Attention ! Pas de riz, pas de pâte, pas de pomme de terre, pas de maïs, pas d'avocat...

3. une troisième phase : on revient petit à petit à un régime normal. On peut manger de tout, mais pas trop.
Et il faut éviter les aliments trop sucrés, trop gras. Par exemple, à chaque repas, un peu de fromage ou un dessert. Pas les deux ! Et un jour par semaine, il faut revenir au régime « Protéines pures ».

4. Enfin, une phase de stabilisation. Elle doit durer toute la vie. On mange de tout en faisant attention.
C'est la partie la plus difficile : on sait que 90 % des gens qui ont maigri avec un régime reprennent leurs kilos plus tard. Et il faut toujours garder un jour par semaine avec des « Protéines pures ».

Vous avez fait le régime Dukan, et vous n'avez pas maigri. Mais vous avez changé : vous êtes devenu(e) très nerveux/nerveuse.
Vous écrivez dans le Forum des lecteurs de *Santé Plus* pour raconter votre expérience.

....
....
....
....
....
....
....
....

8 Écoutez le témoignage de Catherine et répondez par *Vrai, Faux, On ne sait pas.*

	Vrai	Faux	On ne sait pas
a) La première semaine du régime a été très difficile.	❏	❏	❏
b) À la fin du régime, Catherine et Olivier ont maigri tous les deux.	❏	❏	❏
c) Pour Olivier, le plus difficile, c'était de ne pas boire d'alcool.	❏	❏	❏
d) Catherine adore le fromage.	❏	❏	❏
e) Ils trouvent que le régime est très efficace.	❏	❏	❏

Je suis allergique

Écoutez

1 Écoutez et cochez ce que vous entendez.

1. ❏ **a)** Il y en a un kilo deux cents.   ❏ **b)** J'en veux un kilo deux cents.
2. ❏ **a)** En tout, ça fait treize euros vingt.   ❏ **b)** En tout, ça fait dix euros cinq.
3. ❏ **a)** On prend des bananes ou des pommes ?   ❏ **b)** Tu veux des bananes ou des pommes ?
4. ❏ **a)** Ah non, désolé, je n'ai pas de salade.   ❏ **b)** Non, désolé, il n'y a plus de salade !

2 Écoutez et répondez aux questions.

a) Combien coûtent les oranges ? .... Et les carottes ? ....
b) Pourquoi est-ce qu'elle n'achète pas d'avocats ? ....
c) Pourquoi est-ce qu'elle demande tous les prix à sa copine ? ....

Vocabulaire

3 Classez ces mots en deux catégories : il y a six fruits et six légumes. Cherchez les mots inconnus dans votre dictionnaire.

un abricot - un ananas - une carotte - une cerise - un chou - des épinards - des haricots verts - un navet - une orange - une poire - un poireau - une pomme

Fruits	Légumes
....	....
....	....
....	....

4 Barrez l'intrus.

du poulet   un gâteau   un gigot   un ananas
du café   de la confiture
une pizza   une pomme   du chocolat
un melon
des haricots verts   une carotte   un œuf   un croissant   du pain
un informaticien
une cerise
du poisson

Grammaire

5 Complétez avec *ce, cet, cette* ou *ces*.

a) Je vais prendre .... croissants au beurre et .... tarte aux fraises, s'il vous plaît.

b) Pour la salade, on va mettre .... avocat, ... deux tomates, ... œuf dur et du maïs.

c) .... hiver, je suis allé faire du ski et .... été, je vais au bord de la mer.

d) Mets .... chaussures blanches. Avec .... pantalon et .... pull, elles vont très bien.

e) – Qu'est-ce que vous faites .... semaine ? – Je reste à la maison, mais .... week-end, je pars à la campagne.

6 Complétez en remplaçant les mots soulignés par *en*. (Attention à sa place.)

*Exemple : Tu veux un thé ? Oui, j'**en** veux bien un, merci.*

a) Ils ont combien d'enfants ? Ils .... beaucoup, sept ou huit, je crois.

b) Tu as pris des carottes ? Oui, j(e) .... deux kilos.

c) Vous avez rencontré des gens intéressants en Corée ? Oui, j(e) .... beaucoup !

d) Vous voulez du poisson ? Non merci, je ...., je n'aime pas ça.

e) Je prends des oranges ? Oui, ... ! C'est bon pour la santé.

f) Elle veut acheter une voiture neuve ? Non, pas neuve ; elle .... d'occasion.

7 Le pronom *en* peut remplacer quel mot, à votre avis ? Imaginez et écrivez.

a) Non, je n'en ai jamais mangé. Et toi ?   en = ...

b) Ah oui, j'en ai vu plusieurs. Au moins dix !   en = ...

c) Non, merci. Je n'en bois jamais.   en = ...

d) Je vais en faire une pour mon anniversaire.   en = ...

e) Prends-en une douzaine.   en = ...

f) Ah désolé, madame, je n'en ai plus.   en = ...

8 Complétez avec *l', le, la, les* ou *en*.

a) – Tu as vu le dernier film de Im Sang-Soo ? – Oui, je .... ai vu la semaine dernière.

b) – Elle va passer son doctorat cette année ? – Oui, elle va .... passer en décembre.

c) – Vous connaissez des Ouzbeks ? – Ah non, je n(e) .... connais pas.

d) – Tu as fini ton régime ? – Oui, je .... ai fini hier !

e) – Alors, on commande des gâteaux ? – Oui, commandons- .... !

f) – Tu veux voir Alain ? – Ah non, je ne veux pas .... voir !

g) – Tu as regardé la télé hier soir ? – Non, je ne .... regarde plus, je préfère lire.

h) – Tu veux de la bière ? – Non, merci, je n(e) .... veux pas, je n'aime pas ça.

À vous !

9 **Les plats ont été mélangés. Classez-les (entrées / plat principal / dessert) pour faire la carte d'un restaurant français.** (Cherchez les mots inconnus dans un dictionnaire.)

champignons à la grecque

truite aux amandes

glace au citron

tarte aux pommes

pâté de campagne

gigot d'agneau

steak grillé

salade de tomates

paella valenciana

escalope de veau à la milanaise

salade de fruits

foie gras

poulet rôti frites

gâteau au chocolat

huîtres de Bretagne

magret de canard aux cèpes

lapin chasseur

salade d'endives aux noix

crème caramel

éclairs au chocolat

Entrée	Plat principal	Dessert

10 **Répondez par _Vrai_ ou _Faux_.**

	Vrai	Faux
a) En France, on met la fourchette à droite et le couteau à gauche.	❏	❏
b) On mange souvent la salade avant le fromage.	❏	❏
c) Les Français mangent du riz et des légumes au petit déjeuner.	❏	❏
d) Les frites et la purée, ce sont des pommes de terre.	❏	❏
e) Avec les huîtres, il faut boire de la bière.	❏	❏
f) Certains Français aiment manger de la viande de cheval.	❏	❏

Prudence sur les routes

1 Écoutez et cochez ce que vous entendez.

1. ❏ **a)** On attend six millions de touristes cette année.   ❏ **b)** Il y a eu six millions de touristes cette année.

2. ❏ **a)** Attachez votre ceinture !   ❏ **b)** Mettez votre ceinture !

3. ❏ **a)** Les enfants ont souvent soif en voiture.   ❏ **b)** Tous les enfants ont faim en voiture.

4. ❏ **a)** Il ne faut jamais téléphoner en voiture.   ❏ **b)** Ne téléphonez jamais en voiture !

2 Écoutez. Où est-ce que la scène se passe ? Cochez la bonne réponse.

a) ❏ dans un train   ❏ dans un avion   ❏ à l'école   ❏ à la plage

b) ❏ à la maison   ❏ sur un vélo   ❏ dans une voiture   ❏ dans un avion

c) ❏ au cinéma   ❏ en voiture   ❏ à l'école   ❏ au marché

d) ❏ dans une voiture   ❏ à la plage   ❏ dans un train   ❏ au ski

3 Écoutez et complétez.

Le père : – Ça y est ? Vous êtes prêts, les enfants ? Allez, on .... ! Vous avez pensé à tout ? Caro, tu as pris .... pour les enfants ?

La mère : – Oui, oui, j'ai une .... d'eau minérale. Julie, s'il te plaît, ... ta ceinture, c'est .... pour tout le monde ! Pour toi aussi !

Lucas : – Maman ! Julie a pris mon camion !

Julie : – Ce n'est pas vrai ! C'est lui !

Le père : – Ah, non ! Vous n'allez pas vous .... pendant tout le .... ! Stop ! Plus un mot !

4 Barrez l'intrus.

a) souvent – toujours – debout – jamais – tous les jours – tout le temps – tout de suite

b) une voiture – un train – un avion – un prénom – un autobus – un vélo – une moto – un bateau

c) marcher - courir - danser - aller - dormir - venir - entrer - sortir - nager - sauter

d) défendre - défense - dire - interdire - interdiction - interdit

5 Classez ces phrases en deux catégories.

	Obligation/ordre	Interdiction/défense
a) Allez vous coucher ! Et vite !	❏	❏
b) Défense de parler au conducteur.	❏	❏
c) Ne jamais laisser vos enfants tout seuls à la maison.	❏	❏
d) Interdiction de fumer.	❏	❏
e) Ne pas oublier de fermer le gaz avant de partir en vacances !	❏	❏
f) Karen, ta ceinture !	❏	❏
g) Je ne peux pas tourner à gauche, c'est défendu.	❏	❏
h) Pêche interdite.	❏	❏
i) Pas de téléphone portable dans la salle d'examen !	❏	❏
j) Ne pas déranger.	❏	❏
k) Vous devez faire un peu de sport et manger moins.	❏	❏
l) Il faut aller chez le dentiste une fois par an.	❏	❏

Grammaire et orthographe

6 Vous entendez la même terminaison. Mais est-ce que vous l'écrivez : -é, -ée, -és, -ées, -er ou -ez ? Complétez.

a) Il faut all............... vous lav............... les mains, les enfants !

b) Elles sont très fatigu..............., elles ont fait des courses toute la journ.................

c) All..............., vite, debout ! Pren............... votre douche et ven............... déjeun............... Il est sept heures et demie !

d) Nous avons déjeun............... au mus............... du Louvre. Et après, nous sommes all............... tous les trois visit............... une exposition sur Léonard de Vinci.

e) Les enfants sont très fatig..............., ils ont beaucoup travaill............... aujourd'hui. Ils doivent se couch............... tôt ce soir. Interdiction de regard............... la télévision ! Après le dîn..............., au lit !

7 Reliez.

a) En voiture, la ceinture de sécurité •	• **1.** donne-leur de l'eau.
b) Si elles font bien leur régime, •	• **2.** de place. Excusez-nous.
c) Je pense que nous nous sommes trompés •	• **3.** de prendre des vacances !
d) Si les enfants ont soif, •	• **4.** elles vont perdre quelques kilos.
e) Elle étudie l'histoire •	• **5.** est obligatoire !
f) Je suis fatigué. J'ai vraiment besoin •	• **6.** pour devenir professeur.

8 Complétez avec *beaucoup, plusieurs, un peu, quelques, très, trop.*

a) Pour être en forme et rester mince, il faut manger de tout mais ....

b) Attention ! Il y a eu .... accidents sur l'autoroute hier. La météo n'est pas bonne. Prudence !

c) Monsieur Verdin est sorti, mais il va revenir bientôt, dans .... minutes. Attendez-le.

d) On annonce du beau temps pour le week-end : .... de soleil et une température .... agréable.

e) – Maman, j'ai .... chaud !

    – Tiens, bois .... d'eau.

À vous !

9 Lisez et répondez aux questions.

Un week-end chargé sur les routes...

Attention, **Bison Futé** annonce un week-end noir !

Cette année, le 1er novembre, jour de la Toussaint, tombe un vendredi.
On attend des millions d'automobilistes sur les routes à partir de jeudi après-midi.
Comme chaque année, ce jour-là, les Français vont porter des fleurs sur les tombes de leurs morts. Et ils sont toujours très attachés à cette tradition.

Cette année, la situation va être encore plus difficile. En effet, la météo n'est pas bonne. On attend de la pluie, du brouillard et de la neige au-dessus de 800 mètres.

Donc, automobilistes, prudence ! N'oubliez pas les conseils de Bison Futé :
– arrêtez-vous toutes les deux heures,
– respectez les limitations de vitesse,
– ne roulez pas trop près les uns des autres,
– gardez votre calme,
– et bien sûr, ceinture attachée pour tout le monde et jamais d'alcool au volant. Ça, vous le savez !

a) Pourquoi le week-end va être noir ? ....

....

b) Qu'est-ce qui se passe en France au moment de la Toussaint ? ....

....

c) Pourquoi cette année, il faut faire très attention pendant le week-end de la Toussaint ? ....

....

d) Quels sont les conseils de Bison Futé ? ....

....

....

Le trikke, un mode de transport sympa et original

1 Lisez le texte.

Il y a eu les **rollers**, le **skate board** (ou la planche à roulettes), la **trottinette**, la **trottinette électrique**...
Et maintenant, venu de Californie, le **trikke** arrive chez nous.

Qu'est-ce que le trikke ?
Ça ressemble à une trottinette, mais il y a trois roues, une devant et deux derrière.

Comment l'utiliser ?
D'abord, il faut trouver un endroit plat : l'idéal, c'est le parking d'un supermarché le dimanche après-midi, quand tout est fermé. Pour commencer, imaginez que vous êtes sur une trottinette normale. Roulez un peu ! Vous vous sentez bien ? Vous êtes prêt ? Alors, allons-y !
Mettez vos pieds sur les deux marchepieds des roues arrière. Et puis faites du slalom, balancez-vous de gauche à droite, de gauche à droite, de gauche à droite..., et poussez bien fort avec les jambes. Un peu comme au ski. C'est un problème de rythme. Il faut trouver le vôtre.
Vous voulez vous arrêter ? Pas de problème, il y a deux freins sur les roues arrière. Freinez !
Vous pouvez rouler aussi vite qu'à bicyclette.

Les avantages ?
C'est un moyen de transport écologique qui vous permet de garder la forme. Tous les muscles travaillent. Une balade en trikke correspond à une séance de gymnastique ou à une heure de jogging !
Et en plus, c'est très amusant ! Si vous êtes un peu paresseux, achetez un trikke électrique. Il travaillera pour vous !

2 Répondez aux questions.

a) Quel est le point commun entre les rollers, la planche à roulettes, la trottinette et le trikke ?

....

....

b) Quelle est la différence entre la trottinette et le trikke ?

....

....

c) Cherchez sur Internet combien un trikke coûte en France ? Et un trikke électrique ?

....

d) Avez-vous déjà fait du skate board, de la trottinette, du trikke ? Racontez votre expérience.

....

....

....

....

Je cherche, je trouve

Vocabulaire

• Des noms
une (petite) annonce (f)
un appartement (m)
un arrondissement (m)
un ascenseur (m)
un auteur (m)
un balcon
un bricoleur (m)
un bruit, du bruit (m)
la campagne (f)
un canapé-lit (m)
une chose (f)
une chambre
un(e) colocataire (m/f)
une croisière (f)
le cuir (m)
une cuisine (f)
un drapeau (m)
un endroit (m)
un étage (m)
une excursion (f)
un livre (m)
un maillot de bain (m)
un manuscrit (m)
un message (m)
un mètre carré (m2) (m)
la peinture (f)
une personne (f)
une pièce (f)
une pointure (f)
un quartier (m)
un répondeur téléphonique (m)
un rez-de-chaussée (m)
une salle de bains (f) / une salle d'eau (f)
une salle de séjour
une sandale, des sandales (f)
un site Internet (m)
les soldes (m, pl)
un studio (m)
une taille (f)
des toilettes
un vendeur (m) / une vendeuse (f)
un village (m)

• Des pronoms
celui-ci, celui-là / celle-ci, celle-là / ceux-ci, ceux-là /
celles-ci, celles-là
le mien, la mienne, les miens, les miennes
le tien, la tienne, les tiens, les tiennes
qui, que
lequel, laquelle, lesquels, lesquelles

• Des adjectifs
animé(e)
calme
charmant, charmante
clair(e)
confortable
convivial(e)
content, contente

indépendant, indépendante
minuscule
original(e)
pareil(le)
pittoresque
riche
sauvage
séparé(e)
sombre

• Des verbes
accueillir
bouger
coûter
envoyer
imaginer
laisser
louer
mesurer
s'occuper de quelqu'un ou de quelque chose
partager
plaire à quelqu'un
proposer
ressembler à quelque chose ou à quelqu'un
supposer
trouver
vendre

• Des mots invariables
au fond de
autant de...
exactement
ne... jamais
personne
rien
puisque
surtout
tout

• Manières de dire
Ça a l'air...
Ça m'intéresse.
Ça veut dire que...
un centre-ville
une cuisine-américaine
Du calme !
une bonne affaire
un maillot une-pièce, un maillot deux-pièces
Il y a un monde fou.
une bonne situation
Quoi encore ?
Tu es difficile !
Toi-même

• Pour communiquer
Pourquoi pas ?
Adieu !
Zut !

OBJECTIFS

- Situer un lieu dans l'espace, le décrire - décrire un objet
- Discuter d'un projet, comparer, argumenter
- Vocabulaire : l'appartement
- Grammaire : le futur, futur simple et futur proche - les pronoms démonstratifs, les pronoms possessifs, les pronoms relatifs *qui* et *que* - le conditionnel - l'hypothèse et la condition – *parce que* et *puisque* – les négations *ne... personne, ne... rien, rien... ne...*

Appartement à louer

Écoutez

1 Écoutez et cochez ce que vous entendez. 🔘

1. ❏ **a)** Il y a beaucoup de bruit ici.   ❏ **b)** Il y a trop de bruit ici.

2. ❏ **a)** C'est un joli deux-pièces cuisine.   ❏ **b)** C'est un grand deux-pièces avec cuisine.

3. ❏ **a)** Vous habitez dans quel quartier ?   ❏ **b)** Vous habitez dans ce quartier ?

4. ❏ **a)** C'est dans le deuxième arrondissement.   ❏ **b)** Vous êtes dans le dixième arrondissement.

2 Écoutez et répondez par *Vrai, Faux* ou *On ne sait pas*. 🔘

	Vrai	Faux	On ne sait pas
a) Leila et Nicolas sont mariés.	❏	❏	❏
b) Ils ont trouvé un joli trois-pièces.	❏	❏	❏
c) Ils habitent à Paris.	❏	❏	❏
d) L'appartement est calme.	❏	❏	❏
e) la cuisine est toute équipée.	❏	❏	❏
f) Ils ont trois enfants.	❏	❏	❏
g) L'appartement est au sixième étage.	❏	❏	❏
h) Il y a un ascenseur depuis longtemps.	❏	❏	❏

3 Écoutez et complétez. 🔘

Ça y est, j'ai enfin trouvé un appartement ! Tu imagines, je .... depuis deux mois ! Mais cette fois, ça y est ! J'ai trouvé quelque chose de super. Écoute. Alors, c'est en plein centre de Bordeaux mais dans une rue tranquille, très .... Juste en face, il y a un joli parc. L'appartement est très ...., c'est au cinquième .... Il y a un balcon orienté sud-ouest, j'aurai du soleil presque toute la journée. Il y a une entrée, deux ...., une cuisine séparée, une grande salle de bains. Pour nous deux, c'est l'idéal. Bien sûr, c'est un peu ...., 1 700 euros.

Vocabulaire

4 Barrez l'intrus.

a) une salle de bains – une entrée – un salon – une cuisine – une pièce – un orchestre – une salle d'eau – des toilettes

b) une maison – un château – un palais – un appartement – un chapeau – un studio – une villa – un hôtel

5 Trouvez le mot qui correspond à chaque définition.

a) Il y en a 20 à Paris, 16 à Marseille et 9 à Lyon. → un a... (un nom)

b) Quelque chose de tout petit. → m... (un adjectif)

c) Il faut le faire avec sa ceinture de sécurité. → Il faut l'a... (un verbe)

Grammaire

6 Mettez le texte au futur.

L'année dernière, ils <u>habitaient</u> à Londres. Lui, il <u>travaillait</u> dans une grande banque et elle, elle <u>était</u> cadre dans une entreprise d'informatique. Leurs enfants <u>allaient</u> au lycée français. Ils <u>parlaient</u> anglais et français en classe. Ils <u>avaient</u> beaucoup de copains. Ils <u>rentraient</u> en France une fois par mois. Et ils y <u>passaient</u> toutes leurs vacances aussi, bien sûr !

L'année prochaine,..

....

....

....

....

7 Futur simple ou futur proche ? Entourez la bonne réponse.

a) Paul, fais attention ! Tu *tomberas – vas tomber* !

b) Quand tu *vas être - seras* plus grande, tu *vas pouvoir – pourras* aller au cinéma toute seule.

c) Attention, attention, le train numéro 335 en provenance de Rennes *va entrer – entrera* en gare voie 7. Éloignez-vous de la bordure du quai.

d) Demain, Lisa et moi, nous *allons voir – verrons* une pièce de théâtre à la Comédie française.

e) En 2050, les trains *vont être – seront* tous automatisés. Ils *vont rouler – rouleront* sans conducteur.

8 Conjuguez au présent, imparfait, passé composé ou futur simple.

a) Eléna (arriver)... aux États-Unis en 2005. À cette époque, George W. Bush (être)... Président des États-Unis.

b) Aujourd'hui, Gabriel (avoir)... quinze ans. Il (aller)... au lycée. Quand il (avoir)... dix-huit ans,

il (aller)... à l'université. Il (habiter)... dans une résidence universitaire.

c) L'année dernière, Tim (passer)... les vacances de Noël en Italie. Il (partir)... avec des amis de son quartier. Ils (adorer)...

.... ce voyage. Il (faire)... beaucoup de photos.

d) Avant, en France, les gens ne (voyager)... pas souvent parce que c(e) (être)... trop cher et trop compliqué.

Maintenant, on (voyager)... beaucoup plus facilement.

e) Ils (arriver)... il y a trois semaines, le 1er octobre. Ils (rester)... chez moi une semaine.

Après, ils (aller)... chez leur fille à Berlin. Ils y (être)... maintenant.

Ils (rentrer)... chez eux le mois prochain.

À vous !

9 **Lisez les deux textes et répondez aux questions.**

Vous venez étudier en France et vous cherchez un logement en France

Pour trouver un appartement en France, il faut avoir de la patience, surtout à Paris ! Le meilleur moment pour chercher, c'est en mai ou en juin.

Vous allez beaucoup marcher mais c'est bien : comme ça, vous pourrez découvrir votre nouvelle ville.

Visitez le quartier le jour mais aussi la nuit. Certaines rues sont très calmes le jour et très bruyantes la nuit.

Si vous ne parlez pas très bien français, demandez à quelqu'un de vous aider. Avant le rendez-vous avec le propriétaire, notez bien toutes vos questions.

Comment trouver un logement ?

Regardez les petites annonces dans les journaux, cherchez sur les sites Internet, allez dans une agence...

En France, les propriétaires veulent beaucoup de garanties. On va vous demander votre nationalité, des informations sur votre famille, votre profession, combien vous gagnez.

Pensez à apporter tous les documents nécessaires (votre titre de séjour, votre passeport, une attestation de votre banque etc.).

1. À qui s'adresse ce texte ?

a) aux propriétaires français ❏

b) aux locataires français ❏

c) aux étudiants étrangers ❏

2. Complétez. (Les réponses sont dans le texte.)

a) Le contraire de calme, tranquille est ....

b) « Interroger » veut dire « .... une question à quelqu'un ».

c) Celui qui a un appartement et qui le loue, est le ....

3. Cochez la bonne réponse.

a) Les propriétaires vous demanderont beaucoup de :   ❏ courage.   ❏ garanties.   ❏ patience.   ❏ copains.

b) Pour trouver un appartement à louer, la meilleure période, c'est :   ❏ l'hiver.   ❏ le printemps.   ❏ l'été.   ❏ l'automne.

c) Vous cherchez un appartement en France et vous ne parlez pas bien français. Qu'est-ce qu'il faut faire ?

   ❏ demander à quelqu'un de vous aider

   ❏ acheter un dictionnaire

   ❏ aller habiter dans un hôtel

   ❏ continuer vos études dans votre pays

10 **Lisez l'annonce et posez trois questions au propriétaire.**

A LOUER

Joli studio dans quartier agréable - Confort - Loyer 650 €

....

....

....

Vive les soldes !

Écoutez

1 Écoutez et cochez ce que vous entendez. ○

1. ❏ **a)** Ça coûte vraiment très cher !   ❏ **b)** Ils coûtent vraiment trop cher !

2. ❏ **a)** Moi, je préfère les miennes.   ❏ **b)** Moi, j'aime mieux les tiennes.

3. ❏ **a)** Elle ressemble à sa mère.   ❏ **b)** Tu ressembles à ta grand-mère.

4. ❏ **a)** Ça ne me plaît pas du tout.   ❏ **b)** Ça me plaît vraiment beaucoup.

2 Écoutez et répondez par *Vrai* ou *Faux*. ○

	Vrai	Faux
a) Le magasin s'appelle Les Magasins du Louvre.	❏	❏
b) Dans ce magasin, il y a surtout des vêtements.	❏	❏
c) Il y a 50 % de réduction sur tout le magasin.	❏	❏
d) Le magasin solde aussi les meubles de cuisine.	❏	❏
e) Le magasin ne solde pas les jouets.	❏	❏
f) Les soldes durent six semaines.	❏	❏

Vocabulaire

3 On parle de quoi ? Cochez la bonne réponse. Attention à la phrase (d).

a) Avant, elle mettait du 38. Maintenant, elle met du 44.   ❏ des chaussures   ❏ un jean   ❏ une ceinture

b) C'est un joli deux-pièces noir.   ❏ un appartement sombre   ❏ un manteau long   ❏ un maillot de bain

c) Je fais du 37,5.   ❏ des bottes   ❏ une veste   ❏ une mini robe

d) Il fait du 42.   ❏ des chaussures   ❏ un pantalon   ❏ une veste

4 Reliez les phrases de même sens.

a) Elles se ressemblent comme deux gouttes d'eau.   •   •   **1)** Elles font un régime.

b) Elles me plaisent beaucoup.   •   •   **2)** Elles sont trop grosses.

c) Elles ont 20 kilos à perdre.   •   •   **3)** Elles sont exactement pareilles.

d) Elles ne travaillent pas le week-end.   •   •   **4)** Je les trouve assez bien.

e) Elles ne mangent plus de sucre ni de pain.   •   •   **5)** Elles sont au bureau cinq jours sur sept.

f) Oui, elles ne sont pas mal.   •   •   **6)** Je les trouve très bien.

Grammaire

5 Complétez avec *qui* ou *que* (ou *qu'*).

a) J'ai loué un appartement .... je trouve très bien. Il est dans un quartier .... est calme mais central. Il y a une cuisine .... est toute équipée, une grande pièce .... donne sur la rue et deux chambres.

b) C'est une amie .... il connaît depuis longtemps et .... il voit très souvent. Il l'adore mais moi, je pense que c'est quelqu'un .... n'est pas très sympathique.

c) J'ai fait une folie ! Hier, j'ai acheté un maillot de bain .... coûte une fortune et .... je ne mettrai probablement jamais parce qu'il est vraiment excentrique. Je vais remettre celui .... j'ai acheté l'année dernière et .... est beaucoup plus classique.

6 Répondez en remplaçant les mots soulignés par *le, la, les, en* ou *y*.

*Exemple : Vous connaissez les tableaux de Renoir qui sont au Musée d'Orsay ? Oui, je **les** connais bien.*

a) Vous allez retourner en Espagne cet été ? → Oui, nous ....

b) Elle a combien d'enfants ? → Elle .... deux.

c) Je voudrais du pain, s'il vous plaît. → Ah, désolé, je n(e) .... plus !

d) Tu as envie d'aller au Stade de France voir le match ? → Oui, j'ai très envie d(e) ....

e) Vous êtes déjà allés en Inde ? → Non, nous n(e) .... encore .... mais nous irons l'année-prochaine.

f) Tu as vu le prof ce matin ? → Non, je ...., il est absent, je crois.

g) Maman, je peux aller me coucher, je suis fatigué. → Bien sûr, ... - .... !

h) Tu as pensé à acheter des oranges ? → Oui, j(e) .... deux kilos.

i) Et des pommes ? → Non, je n(e) ...., elles étaient trop chères.

j) Mais tu aimes beaucoup les pommes ! → C'est vrai, je .... mais 5,80 euros le kilo, non !

7 On parle de qui ou de quoi ? Cochez la bonne réponse.

a) Ah non, la mienne est toute blanche.   ❏ une voiture   ❏ des bottes   ❏ un manteau

b) Les miennes ne se ressemblent pas du tout.   ❏ les frères   ❏ la sœur   ❏ les filles

c) Moi, je préfère le sien, il est beaucoup mieux.   ❏ la veste   ❏ le studio   ❏ le printemps

d) Prête-moi le tien, j'ai perdu le mien.   ❏ le stylo   ❏ la voiture   ❏ le copain

e) Ah bon, ce sont les siennes ? Tu es sûr ?   ❏ les livres   ❏ les enfants   ❏ les photos

À vous !

8 ## Regardez les dessins et décrivez-les.

SETTLE
-40%

....

....

....

....

9 ## Faites vos comptes.

€ 120
-30
-20%

€ 120
-50%

Vous voulez acheter une veste qui coûtait 120 euros. Dans un magasin, elle est soldée à -30 % puis à -20 %. Dans un autre magasin, la même veste est soldée à -50 %.

a) Est-ce que les deux vestes soldées coûtent le même prix ? Si non, laquelle est la moins chère ? ....

b) Vous avez 100 euros. Est-ce que vous pouvez acheter cette veste et un jean qui coûtait 86 euros mais qui est soldé à moitié prix ? ....

10 ## Achat sur Internet

Vous avez acheté des bottes noires sur Internet. Vous aviez demandé une pointure 38. Vous recevez des bottes bleues qui font du 37. Vous écrivez un mail pour protester et demander un échange.

....

....

....

....

....

Pendant les vacances, on bouge !

Écoutez

1 Écoutez et cochez ce que vous entendez. ◉

1. ❏ **a)** Il n'est jamais content !　　　　❏ **b)** Vous n'êtes jamais contents !

2. ❏ **a)** C'est un endroit très sauvage.　　❏ **b)** J'aime les endroits sauvages.

3. ❏ **a)** C'est un tout petit village.　　　❏ **b)** C'est un très joli village.

4. ❏ **a)** Il mesure combien, ton bateau ?　❏ **b)** Il coûte combien, son bateau ?

2 Écoutez deux fois et répondez aux questions. ◉

a) Hélène a fait une croisière dans quel pays ? ....

b) C'était à quel moment de l'année ? ....

c) Ils ne se sont pas baignés. Pourquoi ? ....

d) Sur la goélette (le bateau), il y avait combien de personnes en tout ? Précisez. ....

e) Qui faisait la cuisine ? ....

f) Qu'est-ce que les enfants ont fait pendant la croisière ? ....

g) Et Hélène, qu'est-ce qu'elle a fait ? ....

Vocabulaire

3 Barrez l'intrus et donnez le point commun entre les autres mots.

a) bouger – marcher – danser – courir – nager – vérifier – se promener – se lever

b) penser – imaginer – supposer – croire – naviguer – estimer – juger – comprendre

c) un navire – une barque – une goélette – un village – un vaisseau – un paquebot – un canoë

....

4 Trouvez le mot qui correspond à chaque définition.

a) C'est plus petit qu'une ville, il n'y a pas beaucoup d'habitants = un v...............................

b) C'est un voyage en bateau = une c...............................

c) C'est un adjectif qui signifie joli, touristique, intéressant à voir = p...............................

d) Chaque pays a le sien. En France, il est bleu-blanc-rouge = un d...............................

Grammaire

5 Donnez l'infinitif des verbes.

Exemple : nous irons → aller

a) vous croyez → ....

b) il reçoit → ....

c) je jouerai → ....

d) nous choisissons → ....

e) ils ont ri → ....

f) Ouvrez ! → ....

g) vous grossissez → ....

h) j'ai conduit → ....

i) ça lui plaît → ....

j) Asseyez-vous ! → ....

k) il est né → ....

l) ils ont compris → ....

m) ils auront → ....

n) elle voudrait → ....

6 Complétez avec la préposition qui convient.

a) – Tu veux aller où, en vacances ? On va .... Portugal ou .... Espagne ?

– J'ai envie de soleil. Si tu es d'accord, allons .... Égypte faire une croisière sur le Nil.

b) – Stanislas et sa copine ont passé deux mois .... Pérou et .... Bolivie. L'an dernier, ils sont allés .... Colombie. Ils adorent l'Amérique latine.

c) – Tu es tout bronzé ! Tu viens d'où ?

– J'arrive .... Madagascar.

d) – Ben vient .... États-Unis, n'est-ce pas ?

– Oui, il habite à Dallas. Mais il est .... Europe depuis un an. Il a passé six mois .... Allemagne et six mois .... Danemark.

7 Reliez.

a) Tu veux boire quelque chose ?   •   • **1)** Non. Rien ne lui plaît !

b) Il fume encore ?   •   • **2)** Non, il n'y est plus depuis un an, il est à Venise.

c) Il travaille toujours à Rome ?   •   • **3)** Non, je ne la connais pas.

d) Vous êtes déjà allés en Indonésie ?   •   • **4)** Non, rien du tout, merci.

e) Tu connais ma cousine Alicia ?   •   • **5)** Non, nous n'y sommes jamais allés. Et vous ?

f) Ça lui plaît, ce voyage ?   •   • **6)** Non, il a arrêté mais, maintenant, il boit !

8 Complétez avec *parce que* ou *puisque*.

a) – On peut se voir la semaine prochaine ?

– La semaine prochaine, je ne peux pas .... je serai au Japon.

– Ah bon ? Dis-moi, ... tu vas au Japon, tu peux me rapporter un kimono ?

b) – Il ne veut pas aller sur la Côte d'Azur .... il déteste la chaleur.

– Je pense plutôt que c'est .... il n'aime pas rester sur la plage toute la journée. Alors, qu'est-ce que vous allez faire ?

– Eh bien, ... il ne veut pas de soleil et pas de plage, il restera à la maison et moi, je partirai avec une copine à Nice.

c) – Tu es en retard ! Qu'est-ce qui s'est passé ?

– Le métro s'est arrêté .... il y avait un problème technique. C'est trop tard pour le cinéma ! Je suis désolé !

– Bon, ... on ne va pas au cinéma, on pourrait aller dîner au restaurant.

À VOUS !

9 Lisez l'annonce et écrivez à l'agence.

Découvrez le domaine de Murtoli, en Corse

Un magnifique domaine où vous profiterez du plus grand luxe au monde : un calme absolu.

Tout autour de vous, vous respirerez les merveilleuses odeurs du maquis* corse.

Vous serez en pleine nature, vous habiterez dans des bergeries authentiques (mais très confortables)

C'est là, au cœur de l'île, que vous pourrez le mieux comprendre l'âme corse.

Vous aurez une voiture de location pour partir à la découverte de la région de Sartène et de Bonifacio ou pour jouer les Robinsons dans les criques désertes à quelques kilomètres de là...

* le maquis = végétation caractéristique de la Corse

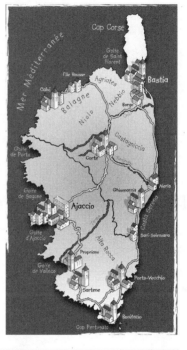

Vous avez vu cette annonce sur Internet. Vous avez envie de louer une des bergeries pendant quinze jours au printemps prochain.

Écrivez un e-mail à l'agence de voyage pour avoir des informations complémentaires.

Par exemple : combien y a-t-il de bergeries ? Est-ce qu'elles sont indépendantes ?
Combien y a-t-il de pièces ? Quelle est la température en avril ?...

| De : .... |
| Date : .... |
| À : .... |
| Objet : .... |

Qu'est-ce que tu cherches ?

Écoutez

1 Écoutez et cochez ce que vous entendez.

1. ❏ **a)** C'est un très bon bricoleur.   ❏ **b)** Il aime beaucoup le bricolage.

2. ❏ **a)** Je cherche une maison à louer sur la Côte.   ❏ **b)** Il a loué une grande maison sur la Côte.

3. ❏ **a)** Téléphonez le soir après 20 heures.   ❏ **b)** Il faut appeler le soir après 20 heures.

4. ❏ **a)** C'est une affaire, mieux que des soldes.   ❏ **b)** Faites des affaires, achetez en solde.

2 Écoutez et cochez. On parle de quels objets ?

a) ❏   b) ❏   c) ❏   d) ❏   e) ❏

f) ❏   g) ❏   h) ❏   i) ❏   j) ❏

3 Écoutez deux fois et complétez le texte.

Vous êtes en relation avec un .... téléphonique. Après le bip, vous pourrez laisser votre .... puis taper

dièse pour le réécouter.

Allô, bonjour. J'ai vu dans Le Dauphiné libéré votre annonce pour un .... bleu marine. Je suis intéressée mais je voudrais savoir combien

il .... exactement et s'il est bleu marine .... ou bleu marine assez clair.

Et est-ce qu'il est en .... ?

Dernière question : je voudrais savoir aussi si vous pouvez l'apporter chez moi ou si je dois venir le .... chez vous. Merci beaucoup.

Mon téléphone 06 55 41 ....

Vocabulaire

4 ▸ Barrez l'intrus et donnez le point commun entre les autres mots.

a) un lit – un répondeur – une table – une chaise – un canapé – une chambre

b) un bricoleur – un téléphone – un répondeur – un site Internet – un message – un e-mail

5 ▸ Reliez les verbes de sens contraire.

a) commencer •   • **1)** demander   **f)** chercher •   • **6)** sortir

b) répondre •   • **2)** adorer   **g)** acheter •   • **7)** trouver

c) ouvrir •   • **3)** recevoir   **h)** réussir •   • **8)** continuer

d) détester •   • **4)** terminer   **i)** s'arrêter •   • **9)** rater

e) donner •   • **5)** fermer   **j)** entrer •   • **10)** vendre

Grammaire

6 ▸ Complétez.

a) Si vous voulez un beau vélo pas cher,   **1)** ....

b) Si vous êtes intéressé(e) par les livres anciens,   **2)** ....

c) ....,   **3)** il peut venir jouer avec nous.

d) ....   **4)** je te propose d'y aller avec moi.

e) Si tu es vraiment fatigué,   **5)** ....

f) Si tu continues à conduire comme un fou,   **6)** ....

7 ▸ Répondez à la forme négative. (Attention à la place de la négation.)

a) - Quelqu'un a téléphoné pour moi ? - Non, désolé, ...

b) - Est-ce que cela lui plaît ? - Non, ...

c) - Vous avez vu quelque chose ? - Non, ...

d) - Vous connaissez quelqu'un à Singapour ? - Moi ? Non, ...

e) - Vous voulez manger quelque chose ? - Non, merci, ...

f) - Il pleut encore ? - Non, c'est fini, ...

g) - Tu es déjà allé à Tahiti ? - Non, ...

h) - Tu as écrit à ta copine canadienne ? - Non, ..., j'ai perdu son adresse.

i) - Vous comprenez quelque chose, vous ? - Non, ...

j) - Il peut encore travailler ? - Non, ..., il est trop vieux.

8 On parle de qui ou de quoi ? Reliez une phrase et une situation.

Situations
1. Deux amis discutent au sujet du dernier film d'Olivier Assayas.
2. Une personne répond à une demande de location pour l'été.
3. Réaction des parents à propos du nouveau copain de Sarah.
4. Une personne répond à quelqu'un qui veut lui vendre une assurance-vie.
5. Réponse d'un éditeur à un auteur à propos de son livre.
6. Discussion sur le prix d'une robe du soir.

a) Il ne leur plaît pas du tout. Ils préféraient Denis. → Situation n° : ....

b) Moi, je trouve qu'il est bien meilleur que les premiers. Pas toi ? → Situation n° : ....

c) Non merci, ça ne m'intéresse. Et je n'ai pas d'argent. → Situation n° : ....

d) Elle est très chic, c'est vrai, mais je la trouve un peu chère. On peut négocier ? → Situation n° : ....

e) C'est intéressant mais beaucoup trop long. Vous devez réécrire toute la dernière partie. → Situation n° : ....

f) Oui, c'est possible mais à partir du 1er juillet seulement et pour deux semaines. → Situation n° : ....

À vous !

9 Lisez et répondez par *Vrai* ou *Faux*.

Leboncoin.fr est un site gratuit très connu en France. Votre annonce doit être acceptée par l'équipe avant sa mise en ligne. Elle restera sur le site pendant 60 jours. Pendant cette période, vous pourrez la supprimer quand vous voulez.

ATTENTION : **Leboncoin.fr** refusera les annonces avec des mots qui peuvent choquer les lecteurs. Il autorise seulement les annonces pour la vente de produits authentiques.

RAPPEL : la contrefaçon peut entraîner deux ans de prison et 300 000 euros d'amende. Les annonces doivent être rédigées en français.

Vérifiez que l'objet que vous voulez vendre ou acheter est autorisé sur le site.

Liste des produits interdits sur le site :
– le tabac, les drogues et objets du même type
– les médicaments, la parapharmacie
– les armes à feu, les explosifs
– les objets ou les publications « réservés aux adultes »
– les espèces végétales et animales protégées

	Vrai	Faux
a) Pour mettre un objet en vente sur le site leboncoin.fr, on ne doit rien payer.	❏	❏
b) Je ne peux pas vendre un sac à main acheté dans une boutique Louis Vuitton.	❏	❏
c) Si je vends un objet de contrefaçon (pas authentique), je peux aller en prison.	❏	❏
d) Si je suis anglophone, je peux écrire mon annonce en anglais.	❏	❏
e) Les images pornographiques sont interdites sur ce site.	❏	❏

10 Vous allez changer d'appartement. Vous voulez vendre tout ce que vous n'utilisez plus (un vélo, un canapé-lit, une télévision, un ordinateur...). Choisissez trois objets et rédigez les annonces.

....

....

....

Se loger à Montréal, au Québec

1 Lisez le texte.

Au Québec et en particulier à Montréal, le prix des appartements est moins cher qu'en Europe.

Attention, les Canadiens ont un système particulier pour définir les appartements :

Il existe aussi des appartements en demi sous-sol. Ils sont moins agréables parce qu'ils sont sombres, surtout l'hiver. Mais ils sont moins chers que les appartements en rez-de-chaussée ou en étage.

Vous pouvez aussi louer une chambre en colocation, ça marche très bien, surtout chez les jeunes.

Le contrat commence toujours le 1er juillet et se termine le 30 juin.

Quelques points intéressants :

– on ne vous demande pas un ou deux mois de garantie comme en France. Mais quand vous partirez, il faudra tout laisser en parfait état et même repeindre les murs.

– l'eau est gratuite ! Et souvent, le chauffage est inclus dans le prix du loyer. Avec le climat du Canada, c'est important ! Mais vous devez payer l'électricité et/ou le gaz.

– vous avez le droit de sous-louer votre appartement. Il faut le dire au propriétaire, c'est tout.

1 ½ = un studio
2 ½ = un deux-pièces (un salon + une chambre)
3 ½ = un trois-pièces
        (un salon + une salle à manger
        + une chambre), etc.

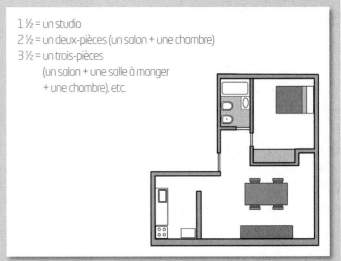

2 Répondez aux questions.

a) Pourquoi les appartements en demi sous-sol sont moins chers que les appartements en étage ?

....

....

b) Qu'est-ce qui n'est pas inclus dans le prix du loyer ?

....

c) Regardez ces trois annonces. Elles correspondent à quelle phrase du texte ?

Recherche jeune couple pour sous-louer mon appartement boulevard Marcel Laurin, à 8 minutes du métro. Arrêt de bus au bas de l'immeuble (loyer : 650 $ par mois)	1. ....
1 ½ - demi sous-sol assez clair – entrée individuelle – l'appartement est situé à Chateauguay (loyer : 440 $ par mois)	2. ....
Marie, David et Léo (notre fils) + Félix (le chat) recherchent un(e) nouveau/ nouvelle colocataire pour partager un 4 ½ très bien équipé. Grande chambre, lumineuse. Le quartier est très agréable et le prix intéressant (440 $ pour la chambre). Libre tout de suite	3. ....

Qu'en pensez-vous ?

Vocabulaire

• Des noms
une (petite) annonce (f)
un appartement (m)
un arrondissement (m)
un ascenseur (m)
un auteur (m)
un balcon
un bricoleur (m)
un bruit, du bruit (m)
la campagne (f)
un canapé-lit (m)
une chose (f)
une chambre
un(e) colocataire (m/f)
une croisière (f)
le cuir (m)
une cuisine (f)
un drapeau (m)
un endroit (m)
un étage (m)
une excursion (f)
un livre (m)
un maillot de bain (m)
un manuscrit (m)
un message (m)
un mètre carré (m2) (m)
la peinture (f)
une personne (f)
une pièce (f)
une pointure (f)
un quartier (m)
un répondeur téléphonique (m)
un rez-de-chaussée (m)
une salle de bains (f) / une salle d'eau (f)
une salle de séjour
une sandale, des sandales (f)
un site Internet (m)
les soldes (m, pl)
un studio (m)
une taille (f)
des toilettes
un vendeur (m) / une vendeuse (f)
un village (m)

• Des pronoms
celui-ci, celui-là / celle-ci, celle-là / ceux-ci, ceux-là /
celles-ci, celles-là
le mien, la mienne, les miens, les miennes
le tien, la tienne, les tiens, les tiennes
qui, que
lequel, laquelle, lesquels, lesquelles

• Des adjectifs
animé(e)
calme
charmant, charmante
clair(e)
confortable
convivial(e)
content, contente
indépendant, indépendante
minuscule
original(e)
pareil(le)
pittoresque
riche
sauvage
séparé(e)
sombre

• Des verbes
accueillir
bouger
coûter
envoyer
imaginer
laisser
louer
mesurer
s'occuper de quelqu'un ou de quelque chose
partager
plaire à quelqu'un
proposer
ressembler à quelque chose ou à quelqu'un
supposer
trouver
vendre

• Des mots invariables
au fond de
autant de...
exactement
ne... jamais
personne
rien
puisque
surtout
tout

• Manières de dire
Ça a l'air...
Ça m'intéresse.
Ça veut dire que...
un centre-ville
une cuisine-américaine
Du calme !
une bonne affaire
un maillot une-pièce, un maillot deux-pièces
Il y a un monde fou.
une bonne situation
Quoi encore ?
Tu es difficile !
Toi-même

• Pour communiquer
Pourquoi pas ?
Adieu !
Zut !

OBJECTIFS

- décrire une personne, exprimer ses sentiments vis-à-vis de quelqu'un
- expliquer un itinéraire, décrire un lieu (2)
- raconter un événement, expliquer un comportement, se justifier
- vocabulaire : l'amour, la rencontre - l'admiration, la moquerie, la colère
- grammaire : la comparaison (*comme*) - *ce qui, ce que* - la mise en relief - l'hypothèse et la condition (suite) - le discours indirect au passé - la concordance des temps - le gérondif - la double négation (*ne... plus personne / ne... plus rien*) - la restriction (*ne... que*)

J'ai trouvé la femme de ma vie

Écoutez

1 Écoutez et cochez ce que vous entendez.

1. ❑ **a)** Il est champion de karaté.   ❑ **b)** C'est un champion de karaté.

2. ❑ **a)** C'est bien mieux que ça !   ❑ **b)** Ce n'est pas mieux que ça ?

3. ❑ **a)** Tu as gagné au Loto ?   ❑ **b)** Qui a gagné au Loto ?

4. ❑ **a)** Qu'est-ce qu'elle fait, ton amie ?   ❑ **b)** Qu'est-ce qu'elle a fait dans la vie ?

2 Écoutez. On parle de quel couple ?

a) ❑   b) ❑   c) ❑   d) ❑

3 Écoutez deux fois et corrigez le texte. Il y a cinq différences.

Allô, bonjour. Je voudrais passer une annonce, s'il vous plaît.

Alors voilà : j'ai vingt-quatre ans, je suis plutôt grand (un mètre quatre-vingt) et mince. J'ai les cheveux noirs, courts, et les yeux marron.

Je termine mes études d'ingénieur informatique.

Mes loisirs ? Euh... J'aime le sport, je fais du karaté, beaucoup de judo et je joue au foot. Le week-end, j'aime bien marcher, je fais des randonnées à la campagne.

Bon. Comme caractère, je suis assez calme, tranquille, j'ai une vie bien organisée. Mais je suis assez romantique, aussi.

Voilà. J'attends la perle rare, une fille très blonde, tranquille et sérieuse.

Vocabulaire

4 Barrez l'intrus et expliquez le point commun entre les autres mots.

a) le karaté – le judo – le handball – la salsa – le tir à l'arc – le ju-jitsu – la boxe

b) un amour – aimer – un amoureux – un ami – l'amitié – amical – un amiral

c) partager – ressembler – pareil – comme – même – différent

5 Quel est le contraire des adjectifs suivants ? Attention au préfixe. Vérifiez dans votre dictionnaire.

a) une vie ordinaire ≠ une vie ....

b) un exercice très facile ≠ un exercice ....

c) Tu as l'air heureux ! ≠ Tu as l'air ....

d) C'est un mari fidèle. ≠ C'est un mari ....

e) Mais oui, c'est possible. ≠ Ah non, désolé, c'est ....

f) une maison confortable ≠ une maison ....

Grammaire

6 Mettez en relief comme dans l'exemple.

Exemple : Tu as fait ce travail tout seul ? → ***C'est toi qui as fait*** *ce travail tout seul ?*

a) Vous êtes déjà venus hier ? → ....

b) Marie a trouvé la solution du problème. → ....

c) Je suis arrivé le premier ! → ....

d) Il a conduit pendant tout le voyage ? → Oui, ...

e) Je vais chercher les enfants à l'école le mardi. → ....

7 Transformez en utilisant *ce qui* ou *ce que*.

Exemple : Qu'est-ce qui se passe ? → *Expliquez-moi* ***ce qui*** *se passe.*

a) Qu'est-ce que tu en penses ? → Dis moi ....

b) Qu'est-ce qui lui est arrivé ? → Tu sais ....

c) Qu'est-ce qu'elle t'a dit ? → Tu peux me dire ....

d) Qu'est-ce qu'on mange ce soir ? → Raconte-moi ....

8 De qui ou de quoi on parle ? Cochez la bonne réponse.

a) Mangez-en mais pas trop.   ❏ du chocolat   ❏ une cerise

b) Écoute-le plusieurs fois.   ❏ la chanson   ❏ l'exercice

c) Explique-lui tes problèmes.   ❏ ton père   ❏ tes parents

d) Ne les oublie pas !   ❏ tes gants   ❏ ta copine Marta

e) Téléphone-leur de temps en temps.   ❏ tes amis   ❏ ta grand-mère

À vous !

9 Lisez le texte et répondez aux questions.

La rencontre amoureuse

La rencontre amoureuse peut être accidentelle (il a rencontré la femme de sa vie dans le métro) ou prévisible (il a « flashé » sur une étudiante de son cours ou sur sa nouvelle collègue de travail).

Est-ce que le coup de foudre existe ? Imaginons. Jules croise Julie, ils se regardent, ils s'arrêtent, c'est la révélation ! La Terre s'arrête de tourner. Hum... Vous y croyez, vous ?

Qui aime qui ? Qui rencontre qui ? Le prince qui épouse la bergère, c'est rare ! Toutes les études montrent qu'en général, la réalité est moins romantique. On tombe amoureux de celui ou de celle qui nous ressemble : il ou elle habite dans la même région, il ou elle vient du même milieu social, il ou elle a fait le même type d'études, etc.

Plutôt que de coup de foudre, parlons plutôt de rencontre amoureuse. Une rencontre amoureuse demande deux choses :

– il faut être disponible, prêt à la rencontre. En effet, on croise des centaines de personnes tous les jours mais on n'est pas toujours disponible mentalement.

– l'autre doit avoir en lui quelque chose qui nous ressemble ou quelque chose qui correspond à notre attente (« Cette fille, c'est exactement mon genre. »).

Ça y est ! L'autre est entré dans votre vie. On projette sur lui ou sur elle tous nos désirs, nos rêves, nos fantasmes... Et un jour, il faut revenir sur Terre et voir l'autre comme il est. Devenir sage.

a) Au début du texte le contraire de *accidentelle* est ....

Et, à la fin du texte, le contraire de *fou* est ....

b) Cherchez dans le texte un mot de la même famille que le verbe *attendre* = ...

c) Dans le texte, quelle est la différence entre un *coup de foudre* et une *rencontre amoureuse* ?

....

....

d) À votre avis, qu'est-ce que veut dire *devenir sage* ?

....

....

....

e) Est-ce que vous croyez au coup de foudre ? Expliquez votre opinion.

....

....

....

....

....

....

Enfin le week-end !

1 Écoutez et cochez ce que vous entendez.

1. ❏ a) Mais non, ne t'inquiète pas !   ❏ b) Non, il ne s'inquiète pas !
2. ❏ a) Tu peux regarder sur la carte ?   ❏ b) On va regarder sur la carte ?
3. ❏ a) Il y a un toit vert et des volets blancs.   ❏ b) Il y a des volets verts ou des volets blancs ?
4. ❏ a) C'est à soixante-cinq kilomètres de Paris.   ❏ b) On est à soixante-quinze kilomètres de Paris.

2 Écoutez ce poème de Prévert. Complétez-le.

Dans ma .... vous viendrez

D'ailleurs ce n'est pas ma maison

Je ne sais pas à qui elle est

Je suis entré comme ça ....

Il n'y avait personne

Seulement des piments rouges accrochés au mur ....

Je suis resté .... dans cette maison

.... n'est venu

Mais tous les jours et tous les jours

Je vous ai attendue.

3 Écoutez. Regardez la carte. Quel est le lieu d'arrivée ?

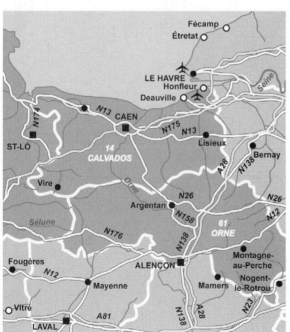

Il part de Laval et va à ....

Vocabulaire

4 Chassez l'intrus et donnez le point commun entre les autres mots.

a) une rue – une saison – une route – un boulevard – une autoroute – une avenue

b) dire – parler – expliquer – annoncer – conduire – demander – répondre

5 Reliez.

a) J'ai peur !   •   •   **1)** Eh bien, va te coucher !

b) J'ai froid !   •   •   **2)** Impossible, il fait 22° !

c) J'ai envie de dormir !   •   •   **3)** Moi aussi. Allez, à table !

d) J'ai faim !   •   •   **4)** Tu veux un médicament ? De l'aspirine ?

e) J'ai mal à la tête !   •   •   **5)** J'ai du Coca si tu veux.

f) J'ai soif !   •   •   **6)** Mais non, calme-toi ! Il n'y a rien !

6 Entourez la forme verbale de ces verbes.

a) Prends du pain à la boulangerie.   présent | impératif | conditionnel | futur

b) Nous vivions en Californie.   présent | imparfait | futur | passé composé

c) J'ai tout compris !   imparfait | conditionnel | passé composé | futur

d) Je ne veux pas y aller !   présent | passé composé | futur | conditionnel

e) N'écoute pas ton frère !   conditionnel | futur | impératif | passé composé

f) Je voudrais un croissant au beurre.   futur | présent | imparfait | conditionnel

g) Nous nous sommes dépêchés.   présent | impératif | passé composé | futur

h) Je ne pourrai pas venir lundi.   conditionnel | imparfait | présent | futur

i) Je pourrais venir lundi ou mardi.   conditionnel | futur | présent | passé composé

j) Je voulais devenir médecin.   futur | imparfait | présent | impératif

7 On parle à qui ? Cochez la bonne réponse.

a) Vous ne vous êtes pas trompées, c'est bien !
 1) ❏ deux filles
 2) ❏ une fille
 3) ❏ deux garçons

b) Vous êtes arrivé à quelle heure ?
 1) ❏ deux garçons
 2) ❏ un garçon
 3) ❏ une fille

c) Toi qui aimes Picasso, tu es allée voir l'expo ?
 1) ❏ un garçon
 2) ❏ une fille
 3) ❏ deux filles

d) Vous vous êtes bien amusés ?
 1) ❏ une fille
 2) ❏ deux filles
 3) ❏ deux garçons

8 **Voici quatre phrases en français oral, familier.**
Donnez l'équivalent dans un français écrit.

Exemple : Elle va où, ta mère ? → Où va ta mère ?

a) Ton cousin, il est toujours en retard ! → ....

b) C'est quoi, son prénom ? → ....

c) Tu les as faits, les exercices ? → ....

d) Alors, ce film, il est comment, finalement ? → ....

À vous !

9 **Lisez et répondez aux questions.**

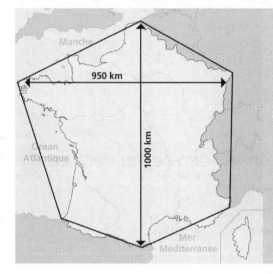

L'Hexagone

On appelle souvent la France « l'Hexagone » parce qu'elle a six côtés.

La mer borde trois de ses côtés : au nord, la mer du Nord et la Manche, à l'ouest l'océan Atlantique, au sud la mer Méditerranée. Il y a 3 800 kilomètres de côtes ; c'est très important pour le tourisme.

Trois chaînes de montagnes sont des frontières naturelles : les Pyrénées au sud, le Jura et les Alpes à l'est. Donc, sauf au nord-est, la France est bien protégée par des frontières naturelles. Cela explique que pendant les guerres, les ennemis sont presque toujours arrivés par le Nord-Est.

La surface de la France est de 551 500 km². Si vous allez du Nord au Sud ou de l'Est à l'Ouest, vous ferez à peu près le même nombre de kilomètres : 1 000 km. Le fleuve le plus long est la Loire (1 012 kilomètres). Il y a d'autres fleuves : la Seine, la Garonne, le Rhône...
Une particularité française : l'importance de la forêt qui couvre 28 % du territoire !

a) Cherchez dans le texte les mots suivants.

La ligne imaginaire entre deux pays est une ....

La Tamise, l'Amazone, le Nil sont des ....

b) Est-ce que vous êtes bon en calcul ? Combien de forêt est-ce qu'il y a en France ?

❏ 329 000 km²   ❏ 155 000 km²   ❏ 79 400 km²

c) Cochez les pays qui ont une frontière avec la France.

❏ l'Allemagne   ❏ la Belgique

❏ le Brésil   ❏ l'Espagne

❏ l'Italie   ❏ le Maroc

❏ le Portugal   ❏ la Russie

❏ la Suède   ❏ la Suisse

Ils ne sont pas tous comme ça !

Écoutez

1 Écoutez et cochez ce que vous entendez.

1. ❏ **a)** Je t'ai dit qu'ils partaient demain ?   ❏ **b)** Ils ont dit qu'ils partaient demain ?

2. ❏ **a)** Moi, je ne connaissais personne.   ❏ **b)** Moi, personne ne me connaissait.

3. ❏ **a)** Je ne savais pas quoi faire.   ❏ **b)** Je ne sais pas comment faire.

4. ❏ **a)** Je l'ai vu en allant travailler.   ❏ **b)** Je l'ai vu en partant travailler.

2 Écoutez et répondez aux questions.

a) Où est-ce que Claire a rencontré Zoé et Ben ? ....

b) Claire habite dans quelle ville ? ....

c) Ben et Zoé habitent dans quelle rue ? ....

d) Claire trouve que Ben a changé. Il est comment, maintenant ? ....

3 Écoutez et complétez les mots avec la terminaison -é, -ée, -ed, -er, -et, -ez.

a) l'universit.............   **e)** un colli.............   **i)** un quarti.............   **m)** la journ.............

b) une arriv.............   **f)** une randonn.............   **j)** un canap.............   **n)** un lyc.............

c) Ass............. !   **g)** le côt.............   **k)** le karat.............   **o)** un r.............-de-chauss.............

d) un mus.............   **h)** la sant.............   **l)** le pi.............   **p)** le caf.............

Vocabulaire

4 Écrivez le mot qui convient sous chaque dessin. Utilisez votre dictionnaire.

a) une bague   **b)** ....   **c)** ....   **d)** ....   **e)** ....   **f)** ....

5 Barrez l'intrus et donnez le point commun entre les autres mots.

confortable – gentil – gai – sympathique – charmant – doux

....

6 Complétez avec les mots : *(un) collier – (une) bague – le jardin – euros – du bruit – personnes – le champagne – les propriétaires.*

Le 31 décembre, à minuit, deux voleurs ont cambriolé la maison de Monsieur et Madame Denis. Ils sont passés par ...., ils ont cassé une fenêtre et ils sont entrés. .... n'étaient pas là, ils étaient chez des amis pour fêter la nouvelle année.

La voisine a déclaré : « Oui, j'ai entendu ...., comme un boum ! Mais j'ai pensé que les Denis avaient des invités et qu'ils ouvraient ....

.... Vers minuit et demi, j'ai vu deux .... qui s'en allaient et j'ai dit à mon mari : « Tiens, les invités des voisins s'en vont déjà ! ».

Quand ils sont rentrés chez eux, Madame Denis a constaté la disparition de sa magnifique .... en diamant et de son .... de perles. Le montant du vol s'élève à plus de 20 000 ....

Grammaire

7 Passez du discours direct au discours indirect.

Exemple : « J'étudie la géographie à l'université, ma sœur est encore au lycée. »
→ Il a dit qu'il étudiait la géographie à l'université et que sa sœur était encore au lycée.

a) « Je cherche un travail à mi-temps dans un restaurant. Je suis libre tous les jours à partir de 15 h »

→ Elle a expliqué qu'elle ....

b) « Je vais voir mon frère ce week-end. Tu veux venir avec moi, Nathalie ? ».

→ Billy a dit à Nathalie qu'il .... Il lui a demandé si elle ....

c) « Votre avion part à 18 h, vous devez être à l'aéroport deux heures avant. »

→ La dame de l'agence de voyages m'a dit que mon .... et que je ....

d) « Qu'est-ce qui se passe ici ? Quelqu'un est mort ? »

→ L'agent de police a demandé ce qui .... et si ....

e) « Je ne vous connais pas, je ne veux pas vous parler. »

→ Mélanie a dit à l'homme qu'elle .... et qu'elle ....

f) « Mes parents vivent à Tahiti, ils viennent me voir en France chaque année à Noël. »

→ Ma voisine m'a raconté que .... et qu'ils ....

8 Passez du discours indirect au discours direct.

Exemple : Elle a dit qu'elle ne savait pas qui c'était. → « Je ne sais pas qui c'est. »

a) Elle a expliqué que son train avait du retard. → ....

b) Peter a dit qu'il était sûr de réussir ses examens. → ....

c) Nous leur avons dit qu'ils se trompaient complètement. → ....

d) Elle m'a dit que son frère était malade et qu'elle devait aller s'occuper de lui. → ....

e) Il a expliqué qu'il était seul au monde et que personne ne voulait l'aider. → ....

9 **Remplacez ce qui est souligné par un gérondif.**
Cette transformation est impossible dans une phrase. Laquelle ? Pourquoi ?

a) Il est interdit de téléphoner <u>quand on conduit</u>. ....

b) <u>Quand elle est rentrée chez elle</u>, elle a constaté le vol. ....

c) N'oubliez pas de fermer la porte <u>quand vous sortirez</u>. ....

d) <u>Quand il est arrivé</u>, elle était déjà partie depuis longtemps. ....

e) Est-ce que tu chantes <u>quand tu prends ta douche</u> ? ....

f) Tu peux prendre le journal <u>quand tu iras faire les courses</u> ? ....

À vous !

10 **Lisez et répondez aux questions.**

Cédric, 21 ans et SDF (Sans Domicile Fixe)

Je m'appelle Cédric et j'ai 21 ans. Je dors dans la rue depuis deux ans. J'ai quitté ma famille parce que ça ne pouvait pas continuer comme ça. Toute la journée, ma mère disait que j'étais un moins que rien. Et mon père... Je préfère ne rien dire, c'est encore pire. C'était impossible à supporter. Je pensais qu'à Paris, j'allais trouver du travail, n'importe quoi, un petit boulot.

J'ai d'abord habité chez un cousin mais c'était tout petit. Quand sa copine a eu un bébé, j'ai dû partir. J'ai dormi quelques jours dans un petit hôtel et puis... je me suis retrouvé dans la rue, sans un sou. Je me souviens du premier jour où j'ai dormi dehors, c'était le 15 avril. J'avais froid mais surtout j'avais peur. Peur du noir, peur de la police, peur d'être attaqué.

Après deux ans, vous savez, on n'est plus rien, plus personne. Le plus dur, ce n'est pas la faim, c'est la solitude et la méfiance aussi. La solidarité entre les SDF, c'est au cinéma ! On est seul, vraiment tout seul et personne ne fait confiance à personne.

a) Pour Cédric, qu'est-ce qui est le plus dur à vivre ?

....

b) Quand il s'est retrouvé dans la rue, il avait peur de quoi ?

....

c) Pourquoi est-ce qu'il est parti de chez lui ?

....

d) Expliquez avec vos propres mots.

   1. Elle disait que j'étais un moins que rien.

....

   2. Je me suis retrouvé dans la rue sans un sou.

....

   3. La solidarité entre les SDF, c'est au cinéma.

....

e) Cherchez, dans le texte, le contraire de *confiance* :

....

On a voulu le kidnapper

LEÇON 16

Écoutez

1 **Écoutez et cochez ce que vous entendez.** ◉

1. ❏ **a)** Qu'est-ce qu'il a, un chien ou un chat ?   ❏ **b)** Qu'est-ce que tu veux, un chien ou un chat ?

2. ❏ **a)** Il y avait un chien abandonné.   ❏ **b)** J'ai vu un chien abandonné.

3. ❏ **a)** Pardon, madame, je cherche les toilettes.   ❏ **b)** Excusez-moi, où sont les toilettes ?

4. ❏ **a)** N'oubliez pas de prendre votre parapluie.   ❏ **b)** Pensez à prendre un parapluie.

2 **Écoutez et dites si la personne qui parle est :**
amoureuse, très contente, étonnée, furieuse, si elle se moque. ◉

a) ....   b) ....   c) ....

d) ....   e) ....

3 **Écoutez et complétez le texte.** ◉

Ma tante Marie m'a appelée hier. Elle .... au téléphone, elle ne pouvait plus .... Sa chienne Elfie venait de mourir.

Bien sûr, elle avait dix-sept ans, elle était .... Dix-sept ans, c'est beaucoup pour un chien. Mais c'est très .... pour elle

quand même, surtout parce qu'elle vit toute seule.

Elfie, elle l'avait eue tout bébé à la .... C'était juste au moment de son divorce, elle allait très mal, elle avait .... de vieillir

toute seule. En plus, elle n'a jamais eu d'.. Alors, ce chien, c'était un peu comme un enfant pour elle. Ah oui, sa chienne, c'était toute sa vie !

Vocabulaire

4 **Les animaux... plus ou moins domestiques.**
Cherchez dans votre dictionnaire le nom des animaux suivants.

a) ....   b) ....   c) ....   d) ....

e) ....

f) ....

g) ....

h) ....

5 Notez le verbe qui correspond au nom. Vérifiez dans votre dictionnaire.

a) le rire : ....

b) l'espérance : ....

c) le choix : ....

d) l'ouverture : ....

e) la visite : ....

f) l'arrêt : ....

g) la ressemblance : ....

h) l'imagination : ....

i) la vente : ....

j) l'inquiétude : ....

k) l'explication : ....

l) le vol : ....

Grammaire

6 Mettez les mots dans l'ordre correct et écrivez la phrase.

a) plus – personne – à – parle – il – ne ➜ Il ....

b) voulez – boire – rien – vous – ne – ? ➜ Vous .... ?

c) cinéma – avec – au – aller – jamais – elle – veut – ne – moi ➜ Elle ....

7 Répondez à la forme négative.

a) Vous avez vu quelqu'un ce matin ? ➜ Non, ...

b) Tu veux me dire quelque chose ? ➜ Non, ...

c) Ton fils a déjà fumé ? ➜ Non, quelle horreur ! ....

d) Tu veux un peu plus de frites ? ➜ Non, merci, ...

e) Tiens, Harry est ici. Je l'appelle ? ➜ Non, surtout pas ! ....

f) Tu sais où elle habite ? Elle te l'a dit ? ➜ Non, ...

8 Reliez les deux parties de la phrase.

a) Bizarre ! Il vit depuis dix ans en France •

b) Avant, elle adorait la viande •

c) Je rêve de la Californie •

d) Avant, je connaissais beaucoup de gens dans le quartier •

e) Dis-moi quelque chose ! •

• **1)** et maintenant, elle n'en mange plus du tout !

• **2)** et je n'y suis jamais allé !

• **3)** Pourquoi tu ne dis rien ?

• **4)** et il ne parle pas un seul mot de français !

• **5)** et je ne connais plus personne !

9 Mettez les phrases au discours indirect.

Exemple : « J'adore les animaux, j'ai cinq petits chiens chez moi. » → Il a dit qu'il adorait les animaux et qu'il avait cinq petits chiens chez lui.

a) « Je ne veux plus te voir, c'est fini entre nous ! » → Elle a dit à son copain qu'elle ....

....

b) « Je n'ai rien fait, je suis innocent ! C'est mon frère qui a tout fait ! » → Il a affirmé qu'il ....

....

c) « Personne ne sait rien, la police fait une enquête. » → Les journaux ont annoncé que ....

....

d) « J'ai bien envie de partir avec vous mais je ne peux pas : je dois aller voir ma mère qui est malade. » → Il était désolé. Il a expliqué qu'il ....

....

À vous !

10 Lisez. Vous êtes le (ou la) secrétaire de l'association *Nos amis les animaux*. Répondez aux messages de Maxime et de Barbara.

Vous avez perdu votre animal, que faire ?

Si votre animal est tatoué, vous pourrez plus facilement le retrouver. En France, l'identification des chiens et des chats est obligatoire depuis 1989 soit par un tatouage soit par une puce électronique.
Dès que vous avez constaté sa disparition :
– Prévenez tout de suite le refuge SPA le plus proche, prévenez aussi la police et les vétérinaires de votre région.
– Distribuez des affiches avec une photo de l'animal dans le quartier, chez les commerçants, dans les boîtes aux lettres, promettez une récompense à celui qui le trouvera.

Vous avez trouvé un animal, que faire ?

– Regardez si l'animal est tatoué pour identifier le propriétaire de l'animal.
– Si l'animal n'est pas tatoué et s'il ne porte pas de collier avec l'adresse du propriétaire, faites vous-même des recherches dans le quartier puis amenez l'animal dans un refuge de la SPA.

Qu'est-ce qu'un refuge SPA ?

C'est un refuge qui reçoit les animaux apportés par leurs maîtres qui ne veulent plus ou qui ne peuvent plus les garder ou par quelqu'un qui a trouvé un animal.
Quand les refuges sont pleins, la SPA organise des « journées d'adoption ».

Maxime : J'ai un chat depuis deux ans, très gentil et propre. Je dois partir en Espagne pour travailler. Je ne peux pas l'emmener avec moi. J'ai demandé à tous mes amis, personne n'en veut. Je ne veux pas l'abandonner. Qu'est-ce que je peux faire ?

Cher Maxime,

....

....

....

....

....

Barbara : Il y a trois semaines, j'ai trouvé dans la rue un petit chien de race sans collier. J'ai regardé son oreille mais il n'est pas tatoué. J'ai envie de le garder mais mon mari n'aime pas les chiens. J'ai mis des annonces un peu partout dans le quartier mais personne ne connaît ses maîtres. Qu'est-ce que vous me conseillez ?

Chère Barbara,

....

....

....

....

....

Vous voulez un animal de compagnie mais lequel ?

1 Lisez le texte.

Un chien ? Il faut s'en occuper, le sortir une ou deux fois par jour.
On ne peut pas le laisser un week-end tout seul si on a envie d'aller à la mer.
Un chat ? C'est plus indépendant mais il faut changer sa litière tous les deux jours. **Un poisson rouge ?** Oui, c'est discret mais si vous ne l'aimez pas assez, il peut faire une dépression nerveuse. **Un lapin ou un hamster ?** Ça sent mauvais. Les oiseaux aussi.

Alors, achetez donc un animal de compagnie virtuel. Vous aurez tout le plaisir mais pas les contraintes. Il faut, c'est vrai, lui donner à manger et à boire quand il a faim ou soif, le soigner quand il est malade, nettoyer sa litière. Mais une litière virtuelle est moins désagréable à nettoyer qu'une vraie litière ! Après les tamagotchis des années 90, voici le *furby*, né aux États-Unis et sorti en France en novembre 2012.

Le furby a de très grands yeux, pas vraiment beaux mais expressifs.
Il réagit à la voix de son maître, il chante, il bouge, il remue les oreilles (elles sont énormes), il danse. Il sait jouer avec d'autres furbies, ou avec des enfants ou avec vous...
Il parle *furbish*. Heureusement pour nous, il y a un traducteur vocal qui traduit en anglais (et bientôt dans d'autres langues).
Attention : si vous ne vous occupez pas bien de lui, il peut devenir méchant.

2 Répondez aux questions.

a) Qu'est-ce que le furby sait faire ?

....

b) On dit souvent que les animaux virtuels sont bons pour les enfants car ça leur apprend à être responsables. Qu'est-ce que vous en pensez ?
Répondez en quelques lignes.

....

....

....

....

....

3 La France, championne d'Europe. Lisez le texte et répondez à la question.

Avec 61,6 millions d'animaux de compagnie, la France est championne d'Europe pour le nombre d'animaux de compagnie. Plus d'une famille sur deux a un chien (7,8 millions), un chat (10,7 millions), un poisson rouge, un lapin... Et les Français dépensent une fortune pour leurs petits chéris. Mais chaque année, en France, plus de 100 000 animaux de compagnie sont abandonnés ! C'est un (triste) record !

À votre avis, pourquoi beaucoup de gens abandonnent leur animal de compagnie ?

....

....

....

....

....

Zénith

Apprendre à partager

Vocabulaire

• Des noms et pronoms

l'adolescence (f)
un adolescent (m), une adolescente (f) (= un(e) ado)
un autre (m), une autre (f)
un bruit
certains
un choix (m)
une cigarette (f)
la colère (f)
un collège (m)
un colocataire (m)
un comportement (m)
un contrat (m)
une crise (f)
un défaut
une enquête (f)
une excuse (f)
une formalité (f)
un immeuble (m)
un immigré (m)
un impôt (m)
un locataire (m)
un mariage (m)
le monde (m)
un nombre (m)
une note (f)
une odeur (f)
les papiers (officiels) (m pl.)
une remarque (f)
le style (m)
le succès (m)
une tour (f)

• Des adjectifs

compliqué(e)
entier, entière
insolent, insolente
normal(e)
nouveau, nouvelle
officiel(le)
patient, patiente
pire (= plus mauvais)
populaire
riche
simple

• Des verbes

aboyer
augmenter
baisser
casser
claquer
se comprendre
critiquer quelque chose ou quelqu'un
déranger
devenir
diminuer
discuter avec quelqu'un

se disputer
divorcer
s'enfermer
exagérer
exploser
faire une remarque à quelqu'un
fumer
hurler
jouer
s'inquiéter
se marier avec quelqu'un
se moquer de
se pacser avec quelqu'un
partager
ranger
se rappeler quelque chose
refuser quelque chose
se sentir (+ adjectif ou + adverbe)
se souvenir de quelque chose
(re)trouver

• Des mots invariables

ailleurs
autour de
en bas
en ce moment (= maintenant)
finalement
ni
nulle part
quelquefois
surtout

• Manières de dire

être de bonne humeur, de mauvaise humeur
Ça pose un problème.
depuis des années (= depuis longtemps)
les beaux quartiers (= les quartiers riches)
Il y a de tout.
quand même
faire une scène à quelqu'un
Ça fait peur. Ça me fait peur.
Ça va passer, ça passera. (= Il faut de la patience.)
se mettre en colère
porter plainte contre quelqu'un
en ce moment
On n'en peut plus.
Le pire, c'est...
Ça suffit à la fin !
C'est terrible !
Tout le chichi.
C'est l'horreur !
ne plus en pouvoir de
le dernier téléphone portable (= à la mode)

• Pour communiquer

vous savez
hein

- se plaindre de quelqu'un, exposer ses difficultés
- calmer, rassurer, argumenter
- vocabulaire : le « vivre ensemble » (en famille, dans un quartier, dans une ville)
- grammaire : l'interrogation par inversion, l'interrogation indirecte - *chacun, chacune* - de *plus en plus, de moins en moins* - le « *tout* » pronom - le gérondif (suite) - la comparaison - la double négation (*ne... ni... ni*) - l'irréel du présent (*Si j'étais toi, ...*)

Cherche coloc' désespérément

Écoutez

1 Écoutez et cochez ce que vous entendez. ◉

1. ❏ **a)** La fumée, ça vous dérange ?   ❏ **b)** La fumée, ça le dérange.

2. ❏ **a)** Je suis désolé, excuse-moi.   ❏ **b)** Oh, pardon, désolé, excusez-moi.

3. ❏ **a)** Il s'est mis très en colère ?   ❏ **b)** Pourquoi il s'est mis en colère ?

4. ❏ **a)** Ils ont un drôle de style !   ❏ **b)** Tiens ! C'est un nouveau style !

2 Écoutez et complétez. ◉

Ma voisine adore les ...., elle en a beaucoup : trois chats, deux ...., des poules et un coq qui réveille tout le quartier chaque matin. Dans son ...., elle a aussi des lapins et même une chèvre. Vous allez dire : c'est merveilleux, c'est vraiment la .... ! Non, non, non ! Il faut dire que nous sommes à Nice, dans un .... chic, et normalement, c'est interdit d'avoir des animaux comme ça en pleine ville. Vous imaginez le bruit, l'........................ ! Ça nous .... vraiment. Cette maison, ce n'est pas une ferme, quand même ! C'est une villa ! Dans le centre-ville !

Nous avons essayé de .... avec elle mais elle se met à pleurer et elle explique que si on lui enlève ses petits chéris, elle préfère mourir ! Qu'est-ce qu'on peut faire ?

3 Écoutez et écrivez la lettre des voisins à Marcia et à Hugo. ◉

....

....

....

....

....

Vocabulaire

4 Complétez avec le verbe qui convient. Conjuguez-le si nécessaire.

avoir – mettre – passer (2 fois) *– porter – poser – prendre* (2 fois) *– tomber*

a) – Ça y est ? Tu .... ton examen ? Tu as réussi ?

   – Oui. Ouf ! Je suis reçu ! C'est normal, j(e) .... tout l'été à travailler pour cet examen.

b) – Ne vous .... pas en colère ! Calmez-vous ! Vous allez .... malade si vous ne vous calmez pas.

   – Me calmer, moi ? Jamais ! Je vais .... plainte immédiatement.

   – Comme vous voulez. Je pense que vous .... tort. À mon avis, il vaut mieux discuter.

c) – Je peux vous .... quelques questions, s'il vous plaît ?

– Oui, avec plaisir mais pas maintenant. Je dois .... le train dans dix minutes. Je suis très pressé. Mais nous pouvons ....

rendez-vous pour la semaine prochaine si vous voulez.

5 Devinettes. Quel est cet animal ? Vérifiez dans votre dictionnaire.

a) Je suis un animal très fidèle. Je garde la maison. Quand des personnes inconnues arrivent, j'aboie ! → Je suis un ....

b) J'ai des couleurs magnifiques, de belles plumes. Je répète tout ce que j'entends. Je suis souvent en cage. On m'appelle souvent Coco.

→ Je suis un ....

c) Je suis long, vert, je vis dans l'eau et sur la terre. Je suis dangereux : j'ai beaucoup de dents. Avec ma peau, on fait des sacs, des chaussures, des ceintures.

→ Je suis un ....

d) Je suis noir ou gris, des dents blanches, une langue bien rouge. Tous les enfants ont peur de moi. Les moutons aussi. C'est normal, dans beaucoup d'histoires,

je les mange ! → Je suis un ....

e) Je suis sauvage aussi mais les enfants m'adorent. Enfin, pas en vrai, en peluche. Presque tous les enfants en ont un, ça les aide à s'endormir le soir. Je vis dans les pays

très froids. J'ai une épaisse fourrure blanche ou marron. → Je suis un ....

Grammaire

6 Complétez avec *à*, *de* ou *avec* (si c'est nécessaire).

a) – Tu t'es encore disputé .... Lucas ! Ça suffit ! Et le prof ? Qu'est-ce qu'il dit ?

– Il dit qu'il faut qu'on change .... place parce qu'on se dispute tout le temps.

b) J'ai rencontré .... mon ami Mario et nous avons bavardé .... ensemble une heure. Je pense qu'il est très seul, il avait besoin ....

parler .... quelqu'un.

c) – Tu as expliqué .... projet .... tes parents ?

– Oui, et ils ont essayé .... me persuader que c'était un projet stupide.

d) – Ses copains se moquent un peu .... lui parce qu'il adore .... chanter des airs d'opéra tout seul, dans la rue.

– Moi, je trouve qu'il a raison .... chanter si ça lui plaît. Il veut .... entrer .... Conservatoire de musique ?

– Oui, il a essayé cinq fois .... passer le concours mais il n'a jamais réussi, le pauvre !

7 Répondez en remplaçant les mots soulignés par : *l'*, *le*, *la*, *les* / *lui*, *leur* / *en* /*y*.

a) – Je pense qu'il se moque de ses examens ! – Oh non, il ne .... pas du tout.

b) – Tu as écrit à ton professeur ? – Oui, je .... hier.

c) – Et tu as mis un timbre sur l'enveloppe ? – Oh non, zut, j'ai oublié d(e) .... un !

d) – Tu as pensé à envoyer un message à Caroline pour son mariage ? – Bien sûr, j(e) ....

e) – Il a parlé à ses voisins ? – Non, il refuse de .... parler !

f) – Le chien a déjà attaqué votre chat ? – Mais oui, il .... trois fois !

g) – Le bruit, ça dérange votre femme ? – Oui, elle est malade, ça ....

h) – Tu t'es occupé du dossier Giraud ? – Oui, je .... ce matin.

i) – Tu te souviens de tes années d'école ? – Oui, je .... parfaitement bien.

j) – Vous avez du feu, s'il vous plaît ? – Non, désolé, je ...., je ne fume pas.

8 Posez une question possible pour la réponse.

Exemple : ➡ *Question : Vous n'avez pas d'enfant ? – Si, j'en ai deux, un garçon et une fille.*

a) – .... ?

– Désolé, je n'ai pas eu le temps de m'en occuper aujourd'hui. Je ferai ça demain. Promis !

b) – .... ?

– Non, je voulais lui en offrir mais sa copine m'a dit qu'elle n'aimait pas la musique.

c) – .... ?

– Je ne sais pas. Je n'ai pas entendu. Je vais lui demander de répéter la phrase.

d) – .... ?

– Si, bien sûr ! On y va en juillet, comme chaque année.

e) – .... ?

– Non, tu sais bien qu'aujourd'hui mardi, les musées sont fermés.

f) – .... ?

– Oui, bien sûr. Quel jour ? J'ai une place pour le mardi 8 à 15 h Ça vous convient ?

g) – .... ?

– Non. Mais ça fait dix ans que j'habite en Belgique.

À vous !

9 Lisez et répondez aux questions.

Enfin, de nouveaux voisins !

Depuis plus d'un an, la maison à côté était vide. Le soir, quand Jérôme rentrait de son travail, c'était triste de voir cette maison toute noire, le jardin redevenu sauvage et la pancarte « À VENDRE ». Mais il y a trois semaines, la pancarte a disparu. Une équipe de peintres est venue, ils ont redonné un bon coup de peinture sur la façade. Tout de suite, ça faisait plus propre, plus gai.

Et samedi, les nouveaux propriétaires ont commencé à s'installer. Jérôme est très content car ils ont deux enfants à peu près du même âge que les siens. Ils vont devenir copains, c'est sûr.

La boulangère, qui sait toujours tout, a raconté qu'ils travaillent tous les deux à la Banque de France. Ils doivent avoir une très bonne situation : ils ont deux voitures et c'est une baby-sitter qui s'occupe des enfants après l'école.

Mardi soir, en rentrant, Jérôme a trouvé un petit mot très aimable des nouveaux voisins. Ils l'invitent à venir chez eux boire un verre vendredi pour faire connaissance.

a) À votre avis, que veut dire *bon* dans « un bon coup de peinture » ?

....

b) Que veut dire « Ils doivent avoir une très bonne situation » ?

....

c) Pourquoi Jérôme est content d'avoir de nouveaux voisins ?

....

d) Imaginez et écrivez l'invitation des voisins.

....

....

....

À deux, c'est mieux !

Écoutez

1 Écoutez et cochez ce que vous entendez.

1. ❑ **a)** Ils se sont mariés en avril.   ❑ **b)** Ils vont se marier en avril.

2. ❑ **a)** Ça t'a fait très peur ?   ❑ **b)** Tu as eu très peur ?

3. ❑ **a)** Je me sens très très bien.   ❑ **b)** Elle ne se sent pas très bien.

4. ❑ **a)** Ce n'est pas compliqué, c'est tout simple.   ❑ **b)** C'est très compliqué, ce n'est pas simple.

2 Écoutez et répondez aux questions.

a) Complétez les chiffres.

Il y a eu .... mariages en 2010 contre 283 000 en ....

b) Qu'est-ce que veut dire « enterrer sa vie de jeune fille » ?

....

....

Vocabulaire

3 Donnez le nom qui correspond au verbe. Vérifiez dans le dictionnaire.

a) se marier : ....

b) divorcer : ....

c) choisir : ....

d) fermer : ....

e) partir : ....

f) finir : ....

g) commencer : ....

h) entrer : ....

4 Expliquez la différence entre :

a) *se mettre en colère* et *être en colère*

....

b) *tomber amoureux* et *être amoureux*

....

c) *C'est plus cher* et *C'est de plus en plus cher*

5 Trouvez le mot qui correspond à chaque définition.

a) L'argent qu'on donne chaque année à l'État est un ....

b) Quelqu'un qui a moins de 18 ans est ....

c) Devenir de plus en plus petit, c'est ....

6 Cochez *Vrai* ou *Faux*.

	Vrai	Faux
a) Un tiers = 30 %	❏	❏
b) Trois quarts, c'est plus grand que 75 %.	❏	❏
c) Trois personnes sur trois = tout le monde	❏	❏
d) Une personne sur quatre = 40 %	❏	❏
e) La moitié + un quart = 75 %	❏	❏
f) Un dixième d'euro = 0,10 euro	❏	❏

Grammaire

7 Transformez les phrases comme dans l'exemple.

Exemple : Tu vas où ? → *Où vas-tu ?*

a) Vous pouvez m'aider, s'il vous plaît ? → ....

b) Vous avez quelque chose à dire ? → ....

c) Vous désirez un autre café ? → ....

d) Vous pourriez rappeler un peu plus tard ? → ....

e) Est-ce que vous voulez vous inscrire tout de suite ? → ....

f) Tu as parlé avec tes voisins ? → ....

8 Remplacez ce qui est souligné par le mot entre parenthèses. Attention aux accords.

a) Tous les gens cherchent à avoir un bon métier. (chacun) → ....

b) Chez Marine, ça va, ça vient, ça entre, ça sort... Ça n'arrête pas ! (les gens) → ....

....

c) Ils sont tous rentrés à la maison. (chacun) → ....

d) Nous devons être à Londres à quelle heure ? (On) → ....

e) Toutes les personnes présentes comprennent très bien la situation. (Tout le monde) → ......

....

f) Mon père et ma mère sont partis en voyage. (Mes parents) → ....

À vous !

9 Lisez et répondez aux questions.

L'enterrement de la vie de célibataire

L'enterrement de vie de célibataire* existe en France depuis le XVIIIᵉ siècle pour les hommes mais pour les filles, c'est beaucoup plus récent (années 1970-1980). Les deux « enterrements » se font toujours séparément, les garçons d'un côté, les filles de l'autre.

Qu'est-ce qu'on fait ce jour-là ? Pour les garçons, il s'agit de passer un bon moment avec ses copains. On va au restaurant ? puis en boîte, on boit, on se raconte des histoires... Mais on peut aussi faire une activité sportive : une course en canoë-kayak, une escalade en montagne, un match de foot...

Avant, l'enterrement de vie de garçon était surtout tourné vers l'alcool et les blagues** sexuelles et il fallait mettre en difficulté le futur marié. Aujourd'hui, c'est moins vrai, les activités sont plus sympathiques.

Et pour les futures mariées ? Leurs amies organisent souvent des cours de cuisine, une séance au hammam ou dans un institut de beauté, mais aussi, pourquoi pas, une journée à Disneyland.

*un ou une célibataire = pas marié(e) - ** une blague = quelque chose pour se moquer (a joke)

a) Quel est le premier sens de *enterrement* ?

....

....

b) Pourquoi est-ce qu'on parle d'*enterrement de vie de célibataire* ?

....

....

c) Vous allez vous marier et vos ami(e)s veulent organiser quelque chose pour enterrer votre vie de célibataire. Qu'est-ce qui vous ferait plaisir ?

....

....

....

....

....

....

....

....

....

C'est la crise !

Écoutez

1 Écoutez et cochez ce que vous entendez.

1. ❏ **a)** Ça suffit ! J'en ai assez !   ❏ **b)** Ça suffit ! C'est assez !
2. ❏ **a)** On critique son comportement.   ❏ **b)** Elle a critiqué mon comportement.
3. ❏ **a)** Il est toujours de très bonne humeur.   ❏ **b)** Tu as l'air de très bonne humeur.
4. ❏ **a)** Sois patiente ! Ça va passer !   ❏ **b)** Un peu de patience ! Ça va passer !

2 Écoutez et répondez aux questions.

a) Quel dessin correspond à l'enregistrement ? ....
b) Julien joue d'un instrument de musique. Lequel ? ....

1)

2)

3)

3 Écoutez deux fois ces quatre réactions. Laquelle est celle de Julien ?

Vocabulaire

4 À quoi correspondent les expressions suivantes ?

a) Ma fille est vraiment impossible !
  ❏ **1.** Elle ne comprend rien à l'école.   ❏ **2.** Elle dit que la vie est impossible.   ❏ **3.** Elle a un caractère très difficile.

b) porter plainte contre quelqu'un
  ❏ **1.** aller devant la justice   ❏ **2.** discuter avec quelqu'un   ❏ **3.** plaire à quelqu'un

c) J'en ai assez !
  ❏ **1.** C'est très bien comme ça, ça suffit.   ❏ **2.** J'en voudrais un peu plus mais pas beaucoup.   ❏ **3.** Je n'en peux plus, stop !

d) faire une scène à quelqu'un
- ❏ **1.** l'inviter au théâtre
- ❏ **2.** se mettre en colère contre quelqu'un
- ❏ **3.** faire croire quelque chose à quelqu'un

e) être de bonne humeur
- ❏ **1.** avoir bon caractère
- ❏ **2.** avoir le sourire
- ❏ **3.** aimer se moquer des gens

Grammaire

5 Complétez avec *tout* ou *tous*.

a) .... le monde est là ? Alors, on peut commencer.

b) J'ai retrouvé presque .... mes copains du lycée.

c) Je connais deux ou trois amis de ma fille mais bien sûr, je ne les connais pas ....

d) J'ai réussi .... les exercices de géométrie mais je n'ai pas fini .... ceux d'algèbre.

e) Comme il habite .... près de chez moi, on peut se voir .... les jours.

6 Complétez avec *que, si* ou *Ø*.

a) Elle m'a raconté .... ses parents voulaient divorcer. Elle pense .... c'est mieux pour tout le monde.

b) Les copains d'Olga ont dû .... insister. Elle ne voulait pas .... venir avec eux à la plage, elle disait .... elle avait trop de travail

et .... l'eau était trop froide pour se baigner.

c) – Est-ce que tu as demandé à Sonia .... elle était d'accord pour garder Noah samedi après-midi ?

– Oui. Elle dit .... c'est possible. Elle veut savoir .... elle peut l'emmener au parc.

d) – Tu m'as bien dit .... tu vendais ta voiture, n'est-ce pas ?

– Oui. Et je t'ai même demandé .... tu connaissais quelqu'un.

7 Complétez avec le terme de comparaison qui convient.

a) Marseille-Lyon : 1 but à 3 → L'équipe de Lyon a marqué .... de buts .... l'équipe de Marseille.

b) Les gâteaux de chez Green : 14/20 - les gâteaux de chez Dalvina : 18/20 → Les gâteaux de chez Dalvina sont .... ceux de chez Green.

c) Florange : 2140 habitants – Dorville : 2140 habitants. → Il y a exactement .... habitants à Florange .... à Dorville.

d) Moyenne des notes en 2012 : 9/20 – Moyenne des notes en 2013 : 6,5/20

→ Les notes de Jérémie en 2013 sont encore .... 2012 !

e) Doris : 1,75 m - Greg : 1,75 m → Doris est .... grande .... son frère Greg. Ils ont exactement .... taille.

8 Reliez.

a) On me dit toujours que je ressemble •   • **1)** c'est pire !

b) À Marseille, il fait aussi •   • **2)** de la vie de célibataire.

c) À Moscou, il fait très froid. Mais en Sibérie, •   • **3)** chien et chat.

d) La vie à deux est très différente •   • **4)** à mon frère Alexis.

e) Ils se disputent comme •   • **5)** que moi.

f) Tiens ! Tu as exactement le même manteau •   • **6)** beau qu'à Nice.

À vous !

9 Lisez cette lettre parue dans le journal pour adolescents *Écoute ADO*.

Bonsoir à tous,

Je me présente. Moi, c'est Cindy. J'ai 14 ans, mon frère a un an de plus que moi et ma sœur trois ans de moins. Je ne m'entends pas du tout avec ma mère, elle me critique toujours. Je n'ai pas le droit de m'habiller comme je veux, pas le droit de me maquiller. Si je rentre du collège avec dix minutes de retard, elle me demande où j'étais, avec qui, etc. Elle dit que mes amies ont une mauvaise influence sur moi et elle ne veut pas me laisser sortir avec elles le samedi. En plus, je sais qu'elle a déjà lu mon journal intime. C'est très bien : comme ça, elle sait ce que je pense d'elle !

Mon frère a le droit de tout faire, lui : il peut sortir avec ses copains, par exemple. On ne lui dit jamais rien parce que c'est un garçon.

Ma sœur est jalouse de moi parce que je suis plus jolie mais je n'y peux rien si elle est moche. Ma mère la préfère parce qu'elle lui ressemble. Moi, je ressemble à mon père. Il est super beau. Avec lui, ça va, il comprend ma situation mais je crois qu'il a peur de ma mère.

J'aimerais bien téléphoner à SOS Enfants Maltraités*. J'en ai déjà parlé avec la conseillère du collège mais à chaque fois, elle dit que j'exagère, que je dois établir des relations de confiance avec ma mère. Ça, c'est impossible !

* maltraiter quelqu'un = le frapper, le battre

1. Cherchez dans le texte :

a) un verbe qui signifie *faire des remarques désagréables sur quelque chose ou quelqu'un* : ....

b) un verbe qui signifie *se mettre du fond de teint, du rouge à lèvres, du noir sur les yeux* : ....

c) un adjectif qui signifie *pas beau, pas belle* : ....

d) une expression (en cinq mots) qui signifie *ce n'est pas ma faute* : ....

2. Cochez *Vrai, Faux* ou *On ne sait pas*.

	Vrai	Faux	On ne sait pas
a) Dans cette famille, il y a deux filles et un garçon.	❏	❏	❏
b) La mère de Cindy a 40 ans.	❏	❏	❏
c) Cindy a envie d'avoir de bonnes relations avec sa mère.	❏	❏	❏
d) Elle a déjà appelé SOS Enfants Maltraités.	❏	❏	❏
e) Elle écrit ce qu'elle pense dans son journal intime.	❏	❏	❏
f) Ses parents se disputent tout le temps.	❏	❏	❏

3. Vous êtes psychologue à *Écoute ADO*, spécialisé dans les problèmes d'adolescents. Vous répondez à Cindy.

Ma chère Cindy,

....

....

....

....

....

....

Mixité, une aventure au quotidien

Écoutez

1 Écoutez et cochez ce que vous entendez.

1. ❑ **a)** Bonjour, monsieur. C'est pour une enquête.   ❑ **b)** Bonjour, monsieur. Je fais une enquête.

2. ❑ **a)** Les enfants jouent en face de l'immeuble.   ❑ **b)** Les enfants sont en bas de l'immeuble.

3. ❑ **a)** On s'entend bien et on se comprend.   ❑ **b)** On se comprend et on s'entend bien.

4. ❑ **a)** Finalement, tu as refusé ?   ❑ **b)** Il sait que tu as refusé ?

2 Écoutez. Dans quelles phrases vous entendez le « s » final de *tous* ?

3 Écoutez et répondez aux questions.

a) La personne qui parle habite à Montmartre depuis quand ?

b) Il vit dans un appartement ou dans une maison ?

c) Qui habite à côté de chez lui ?

d) Il y a cent ans, des peintres célèbres habitaient à Montmartre. Qui, par exemple ?

e) Qu'est-ce qu'il dit à propos des touristes ?

Vocabulaire

4 Reliez les phases qui ont le même sens.

a) Ils ont accepté ma proposition.   •   •   **1)** Ils sont un peu snobs, je crois.

b) Ils viennent tous d'ailleurs.   •   •   **2)** C'est à voir !

c) C'est un vrai spectacle !   •   •   **3)** Ils n'ont pas dit non.

d) Ils n'aiment que les beaux quartiers.   •   •   **4)** Ils n'ont jamais voulu accepter.

e) Ils se comprennent parfaitement.   •   •   **5)** Ils ne sont pas nés ici.

f) Ils ont refusé tout net.   •   •   **6)** Ils s'entendent très bien.

5 **Complétez avec le verbe qui convient :** *faire* (2 fois) – *passer* – *poser* – *prendre* (3 fois) – *tomber*. **Mettez-le à la forme verbale correcte.**

a) – Tu as déjà............................... ton petit-déjeuner ?

   – Non, pas encore. Je vais d'abord............................... ma douche. Je déjeunerai après.

b) Il............................... malade chaque fois qu'il a un examen à............................... Ça commence à............................... un problème !

c) Pour aller chez elle, tu descends à la station Concorde et tu............................... la rue de Rivoli.

d) J'aime les gens qui me............................... rire.

e) Ça y est ? Tu as............................... sa connaissance ? Alors, comment tu le trouves ?

6 **Chassez l'intrus et expliquez le point commun entre les autres mots.**

a) une maison – un immeuble – un château – un appartement – un studio – un comportement

b) un spectacle – un vêtement – une pièce – un film – un concert – une exposition – un ballet

....

Grammaire

7 **Dans quelles phrases, est-ce qu'il s'agit de quelque chose de** *possible* **ou quelque chose de** *non réel* **?**

Exemples : Si tu veux, on va à la plage. → *C'est possible.*

       Si j'avais des enfants, j'habiterais à la campagne. → *non réel (je n'ai pas d'enfants)*

a) Si j'étais à ta place, j'aurais vraiment peur. → ....

b) S'il fait beau demain, je t'emmène à la plage. → ....

c) Si Marilyn Monroe vivait encore, elle aurait quel âge ? → ....

d) Si tu veux, tu peux m'appeler demain soir. → ....

e) Si vous avez vraiment faim, mangez ! → ....

f) S'il était plus sympa, il n'aurait pas autant d'ennemis ! → ....

8 **Donnez le gérondif des verbes suivants.**

Exemples : chanter → *en chantant*

a) lire → ....

b) écrire → ....

c) finir → ....

d) dire → ....

e) prendre → ....

f) vivre → ....

g) partager → ....

h) apprendre → ....

9 **Dans ces phrases, qu'est-ce que *on* veut dire ?**
les gens en général (G) - quelqu'un (QQN) - nous (N) - vous (V) - je (J)

a) En France, en général, on mange la salade après le plat principal. → ....

b) Alors, ma petite dame, qu'est-ce qu'on achète aujourd'hui ? Une salade ? → ....

c) Chut ! Tais-toi ! Écoute. On marche dans le jardin. → ....

d) N'aie pas peur, ma chérie. Ton père et moi, on est là. Ne t'inquiète pas ! → ....

e) Alors, ma petite dame, qu'est-ce qu'on vous vend aujourd'hui ? Une salade ? → ....

À vous !

10 **Lisez et répondez par *Vrai* ou *Faux*.**

Jusqu'en 1860, Montmartre était un village au nord de Paris. Il existait déjà à l'époque des Romains. Son nom vient du latin *Mons Martis* (le mont de Mars), donné en l'honneur du dieu de la guerre, Mars. Une belle légende de cette époque : en 250, les Romains coupent la tête de Saint Denis, premier évêque de Paris, en haut de la butte Montmartre. Saint Denis la ramasse par terre, va la laver dans une source et part. Il descend la Butte et, la tête sous le bras, il marche jusqu'à une petite ville à sept ou huit kilomètres au nord (c'est aujourd'hui la ville de Saint-Denis).

Une autre date importante pour Montmartre, beaucoup plus tard : 1871, la *Commune de Paris*. Les révolutionnaires se battent jusqu'à la fin et il y a beaucoup de morts. Pour montrer à tous qu'il avait gagné contre la Commune, le gouvernement fait construire sur la Butte une grande basilique, le Sacré-Cœur. La construction commence en 1875. À cette époque, il y avait à Montmartre de la vigne (il y en a encore un petit peu), des moulins à vent (il en reste un) et beaucoup de peintres (il y en a toujours).

	Vrai	Faux
a) La légende dit que Saint Denis est allé à pied de Montmartre à Saint-Denis.	❏	❏
b) Il y a encore beaucoup de moulins à vent sur la butte Montmartre.	❏	❏
c) On a construit le Sacré-Cœur en l'honneur de la Commune de Paris.	❏	❏
d) Les vignes de Montmartre existent encore aujourd'hui.	❏	❏

11 **Cherchez sur Internet des informations sur Henri de Toulouse-Lautrec et faites un petit résumé sur sa vie.**

....
....
....
....
....
....
....
....

Vive les femmes !

1 Lisez. Cochez *Vrai* ou *Faux*, puis répondez à la question.

Les femmes vivent de plus en plus longtemps et beaucoup plus longtemps que les hommes.
Les petites filles nées en 2011 ont une espérance de vie de 84,9 ans contre 78,2 ans pour les garçons.

Espérance de vie	1950	1960	1970	1980	1990	2000	2010	2011
Les femmes	69,2	73,6	75,9	78,4	80,9	82,8	84,7	84,9
Les hommes	63,4	67	68,4	70,2	72,7	75,3	78	78,2

	Vrai	Faux
a) Entre 1970 et 2011, l'espérance de vie des femmes a augmenté de dix ans.	❑	❑
b) Les hommes, comme les femmes, vivent de plus en plus longtemps.	❑	❑

À votre avis, pourquoi les femmes vivent plus longtemps que les hommes ?

....

....

2 Lisez et répondez en cochant *Vrai* ou *Faux*.

En France, les filles réussissent mieux à l'école que les garçons :
– 69 % des filles obtiennent le bac contre 58% des garçons ;
– les filles représentent 58 % des étudiants à l'université, mais 70 % d'entre elles font des études littéraires ou de sciences humaines.
  Seulement 30 % font des études scientifiques.

	Vrai	Faux	On ne sait pas
a) Il n'y a pas beaucoup de garçons dans les universités littéraires.	❑	❑	❑
b) Les garçons représentent 32% des étudiants à l'université.	❑	❑	❑

3 Lisez et répondez en cochant *Vrai* ou *Faux*.

Les femmes françaises travaillent. Les trois quarts des femmes de 25 à 50 ans travaillent. Cette proportion a augmenté de manière continue depuis les années 70. Aujourd'hui, elles sont presque aussi nombreuses que les hommes sur le marché du travail.

	Vrai	Faux
a) Il y a autant d'hommes que de femmes dans la population active (= qui travaillent).	❑	❑
b) En 1970, il y avait moins de femmes actives qu'en 2012.	❑	❑

4 Lisez, répondez à la question et donnez votre avis.

Après l'Irlande (2,07), la France est championne de l'Union européenne pour le nombre de naissances par femme : un peu plus de deux enfants par femme (2,01 en 2012). Les autres pays d'Europe (Allemagne, Espagne, Italie...) ont un taux de natalité beaucoup plus faible (1,3 - 1,4). Quand on demande à une femme française quel est le nombre idéal d'enfants, elle répond toujours : « Au moins deux, et même trois ! »

a) Dans quel pays de l'Union européenne le taux de natalité est plus fort qu'en France ? ....

b) À votre avis, quel est le nombre idéal d'enfants pour une famille ? Expliquez. ....

....

Ça ira mieux demain

Vocabulaire

• Des noms et pronoms

un accident (m)
l'amitié (f)
un astre (m)
un avion (m)
un boulot, du boulot (fam. m)
un club (m)
le cœur (m)
un couteau (m)
la fac (la faculté = l'université)
une fleur (f)
un horoscope (m)
une île (f)
un incendie (m)
un jeu (m)
un malheur (m)
la mer (f)
un miroir (m)
le nez (m)
une panne (f)
une perspective (f)
le pilote
un risque (m)
un signe astrologique (m)
un supérieur (m) (= un chef)
une terrasse (f)
le tirage du Loto (m)
un type (fam. = un garçon, un homme)
un vélo (m)
le ventre (m)

• Des adjectifs

bizarre
compréhensif, compréhensive
compliqué(e)
drôle (= amusant)
exceptionnel(le)
favorable
idéal(e)
indépendant, indépendante
indispensable
intelligent, intelligente
malheureux, malheureuse
milliardaire
paresseux, paresseuse

• Des verbes

apprécier quelque chose ou quelqu'un
apprendre à faire quelque chose
couper
décider de faire quelque chose
déménager
s'inscrire
inviter
jouer au Loto
monter
offrir quelque chose à quelqu'un
perdre (au jeu)
protéger quelqu'un ou quelque chose
répéter quelque chose
rêver
supporter quelque chose ou quelqu'un
tomber

• Des mots invariables

contre
derrière

• Manières de dire

avoir mal à la tête, au ventre, aux pieds...
Ça m'est égal. (= Je m'en moque.)
C'est mon genre.
être mort de peur
faire l'idiot
On ne peut rien y faire.
Merci, c'est charmant !
C'est ridicule !
Tu rigoles !

OBJECTIFS

- Exprimer un désir, un souhait, une crainte
- Exprimer ses sentiments (joie, peur, doute...)
- Vocabulaire : les souhaits, les désirs - les bonnes résolutions - les angoisses - les superstitions
- Grammaire : le subjonctif exprimant le désir, l'obligation, la crainte... - introduction à la voie passive

Je voudrais qu'il soit...

Écoutez

1 Écoutez et cochez ce que vous entendez.

1. ❑ **a)** C'est une belle maison avec terrasse.   ❑ **b)** Je veux une maison avec terrasse.
2. ❑ **a)** Je voudrais bien qu'il soit avec moi.   ❑ **b)** Je voudrais bien que tu sois avec nous.
3. ❑ **a)** Arrête un peu de faire l'idiot.   ❑ **b)** Il n'arrête pas de faire l'idiot.
4. ❑ **a)** C'est un drôle de type, très intelligent.   ❑ **b)** Ce type ? Il est drôle et intelligent.

2 Écoutez. Cochez l'image qui correspond au garçon idéal.

❑ **a)**   ❑ **b)**   ❑ **c)**   ❑ **d)**

Vocabulaire

3 Complétez. Aidez-vous de votre dictionnaire.

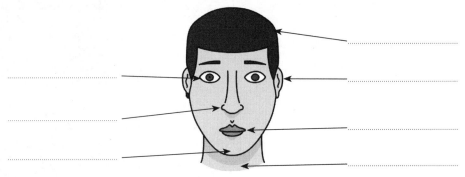

4 Trouvez le mot à partir de sa définition.

a) très très très riche = m...   **b)** changer de maison ou d'appartement = d...
c) le contraire de stupide = i...   **d)** il y en a dans les forêts, dans les parcs = des a...

5 Reliez les expressions.

a) Il fait toujours l'idiot. •   • **1)** C'est vraiment bizarre.

b) C'est une personne en or ! •   • **2)** Ça suffit ! Stop !

c) Il est tout à fait mon genre. •   • **3)** Au revoir. Soyez prudents !

d) Allez, bonne route ! •   • **4)** Il adore se faire remarquer.

e) C'est une très bonne affaire ! •   • **5)** Ce n'est pas cher du tout.

f) C'est une drôle d'histoire. •   • **6)** Il est vraiment très gentil.

g) On n'en peut plus ! •   • **7)** J'aime les garçons comme ça.

Grammaire

6 Soulignez les verbes au subjonctif.

a) Je voudrais que tu sois un peu plus gentil avec moi !

b) Je trouve que ta nouvelle coiffure te va très bien.

c) N'oublie pas ! Il faut que nous soyons à la gare à midi.

d) Je crois qu'on n'aura pas le temps de déjeuner avant de partir.

e) J'aimerais bien que mon copain ait son permis de conduire : on pourrait partir ensemble.

f) Pour réaliser nos rêves, il faudrait être milliardaires !

7 Entourez la forme correcte.

a) Pour acheter ça, bien sûr, il faudrait que tu *es – as – sois – aies* beaucoup plus d'argent.

b) Il faudrait *avoir – être – ait – est* milliardaire !

c) J'aimerais beaucoup que vous *êtes – étiez – soyez – être* libres dimanche soir.

d) Je suis presque sûr qu'il *a – est – ait – soit* raison !

e) Nous pensons qu'il y *a – est – ait – soit* quelque chose de bizarre dans cette histoire !

f) Nous aimerions beaucoup s*oyons – être – ayons – avoir* en vacances maintenant.

8 Reliez les propositions.

a) Je suis sûr qu'il •   • **1)** nous dépêcher. Le train n'attend pas !

b) Il ne faut pas •   • **2)** te couper les cheveux, ça t'irait mieux.

c) J'aimerais bien que tu •   • **3)** va arriver en retard, comme d'habitude.

d) Il veut que vous •   • **4)** téléphoner en conduisant.

e) Nous devons •   • **5)** sois un peu plus aimable avec les voisins.

f) À mon avis, tu devrais •   • **6)** soyez à l'heure au rendez-vous.

9 On parle de qui ou de quoi ?

a) Moi, je les trouve très jolies.
- ❑ **1.** ta cousine Marion
- ❑ **2.** tes nouvelles chaussures
- ❑ **3.** les voisins du 4ᵉ

b) J'aimerais bien qu'il en ait un peu plus.
- ❑ **1.** de la patience
- ❑ **2.** son examen
- ❑ **3.** ses notes de mathématiques

c) Je me souviens très bien de lui.
- ❑ **1.** ma leçon de piano
- ❑ **2.** nos anciens locataires
- ❑ **3.** l'ex-copain de Laura

d) Je vais m'en occuper.
- ❑ **1.** d'inscrire Matthieu à l'école
- ❑ **2.** de Matthieu
- ❑ **3.** des enfants de Christophe

À vous !

10 Lisez et répondez aux questions.

Moi, depuis toujours, mon rêve, ce serait de voyager. J'ai soixante-dix ans et je n'ai jamais quitté la France. Je suis allé deux fois à Paris, il y a longtemps. Mais je ne suis jamais allé à l'étranger. J'aimerais surtout aller dans les îles lointaines. Je sais, il faudrait que je sois plus jeune, plus riche et aussi que j'aie un peu plus de temps. Avec la ferme et les animaux, c'est difficile. Je me disais toujours : « À la retraite, on voyagera, on prendra enfin du bon temps ». Et puis voilà ! Ma femme n'a pas très envie de bouger, elle n'a pas une très bonne santé. Et moi, partir seul..., c'est compliqué.
La fille d'un de mes cousins habite à la Réunion, elle nous a invités plusieurs fois mais c'est loin et l'avion est cher ! Et on n'a jamais pris l'avion. Il faudrait que mon fils ou mon petit-fils soit d'accord pour venir avec nous.

a) Où est-ce que cet homme habite ? ....

b) Qui est *on* dans *À la retraite, **on** voyagera, **on** prendra enfin du bon temps* ? ....

c) Il rêve de voyager. Pourquoi est-ce qu'il ne voyage pas ? ....

11 Lisez le texte et répondez aux questions.

L'île de la Réunion réunit tous les paysages sur 2 500 km² : des plages de sable blanc, des montagnes extraordinaires, des rivières, des forêts, des volcans... Le volcan le plus célèbre est le Piton de la Fournaise (2 631 mètres), toujours en activité. Vous aurez mille choses à faire : des randonnées bien sûr, elles sont magnifiques. Mais aussi du surf, des balades en mer, du canoë-kayak, de la plongée sous-marine... Ou bien, tout simplement, vous vous allongerez sur la plage, à l'ombre d'un cocotier. Vous verrez, les plages de la Réunion sont les plus belles du monde.
Les paysages sont très divers, les Réunionnais aussi ! Ils viennent d'Afrique, du Moyen-Orient, de Chine, d'Inde... ou de France. Et la plupart sont métissés : les mariages mixtes sont très fréquents. La Réunion est à l'image du monde de demain, un « village global ».
Avant de quitter ce paradis, faites un petit tour sur les marchés. L'artisanat est très beau. Rapportez donc un panier ou un sac tressé, ou encore un objet fabriqué à partir de la lave volcanique...
Et revenez vite nous voir !

a) À quelles phrases du texte est-ce que ces trois dessins correspondent ?

1.

2.

3.

1. ....

2. ....

3. ....

b) Ce texte est écrit par qui, pour qui et dans quel but ? ....
....

Demain, j'arrête !

Écoutez

1 Écoutez et cochez ce que vous entendez.

1. ❏ **a)** Après la fac, il a cherché un boulot.   ❏ **b)** Après la fac, elle a trouvé un boulot.

2. ❏ **a)** J'ai décidé d'aller à la piscine tous les jours.   ❏ **b)** C'est décidé ! Piscine tous les jours !

3. ❏ **a)** Il faut qu'on aille voir mes parents.   ❏ **b)** Il faut qu'il aille voir ses parents.

4. ❏ **a)** J'aimerais que tu fasses plus attention.   ❏ **b)** Elle aimerait que je fasse plus attention.

2 Écoutez et complétez.

Julien a arrêté de fumer depuis trois semaines. C'est la cinquième fois cette année, mais cette fois, c'est .... Il a l'air décidé.

Il a consulté un tabacologue qui lui a conseillé de faire du sport, d'aller à la .... régulièrement, de courir tous les matins...

Comme il est un peu ...., il n'a pas très .... de se lever une heure plus tôt pour aller courir dans le froid. Mais il le fait !

Bien sûr, il est de .... Heureusement, sa femme est très .... Elle ne lui demande pas toutes les cinq minutes :

« Alors, ça va ? Tu résistes ? Tu n'as pas trop envie de fumer ? »

3 Écoutez. Dans quelles phrases est-ce que vous entendez un subjonctif ?
(Il y en a cinq.)

Phrases : ....

Vocabulaire

4 Chassez l'intrus et expliquez le point commun entre les autres mots.

a) comprendre – compréhension – comparaison – compréhensif – incompréhensible

b) derrière – devant – en face – à côté – sur – sous – tard – dehors – en bas – en haut

5 Quel est le féminin des adjectifs suivants ?

a) heureux → ....   **b)** triste → ....   **c)** interdit → ....

d) fou → ....   **e)** pareil → ....   **f)** doux → ....

g) gentil → ....   **h)** poli → ....   **i)** nouveau → ....

j) officiel → ....   **k)** compréhensif → ....

Grammaire

6 Complétez avec *à*, *de* ou *Ø*.

a) Vous pouvez m'aider .... porter ma valise, s'il vous plaît ?

b) Pour aller à Londres, il faut prendre .... le train à la gare du Nord.

c) Tu as fini .... faire l'idiot, oui ou non !

d) Elle joue .... piano et .... violon. Lui, c'est autre chose, il joue .... foot et .... tennis.

e) J'ai demandé .... ma copine .... venir avec moi au théâtre.

f) Les enfants, attachez .... votre ceinture et arrêtez .... vous disputer !

g) Ne t'inquiète pas, je m'occuperai .... cette affaire.

h) Il ressemble beaucoup .... sa mère : ils ont les mêmes yeux.

i) Nous avons trouvé .... une jolie petite maison à louer pour les vacances.

j) Je crois que nous nous sommes trompés .... route.

k) Il ne faut pas se moquer .... gens !

l) Il nous reproche toujours .... être paresseux.

m) On se sent beaucoup plus .... libres comme ça.

n) Est-ce que tu te souviens .... numéro de téléphone d'Alexandra ?

o) Il a peur .... conduire la nuit. Il préfère .... partir maintenant.

7 Soulignez les verbes au subjonctif et donnez leur infinitif. Vérifiez dans le précis grammatical.

Après le bac, Mélanie a dit à ses parents qu'elle voulait être indépendante.

– Maintenant, je suis majeure. Il faudrait que j'aie un studio à moi et que je sois plus libre.

– D'accord, ma chérie. Mais tu as bien réfléchi ? Il faudra que tu fasses la cuisine, que tu ailles au Lavomatic pour laver tes vêtements, que...

– Mais oui ! Pas de problème. Il faut que vous compreniez que je ne suis plus un bébé.

– Tu as raison. Ce serait bien que tu prennes ton indépendance. Mais à une condition ! Je veux que ton studio soit dans le quartier, pas trop loin de chez nous. Il faut que nous puissions être là si quelque chose ne va pas. D'accord ?

– D'accord.

8 Reliez.

a) J'ai toujours eu peur   •   •   **1.** que tu m'aides. Tu peux venir une minute ?

b) Nous serons très heureux   •   •   **2.** de prendre le train. À mon avis, c'est moins fatigant.

c) Lili, s'il te plaît, j'ai besoin   •   •   **3.** de vous accueillir chez nous le 25 septembre à 14h.

d) Tout le monde a besoin   •   •   **4.** de prendre l'avion. C'est plus fort que moi !

e) Je vous conseille   •   •   **5.** de liberté, d'indépendance, de compréhension.

9 C'est le premier janvier. Transformez les bonnes résolutions de Karen et de Michaël. Vérifiez la forme des subjonctifs dans le précis grammatical.

Karen	Michaël
Exemple : aller à la bibliothèque régulièrement *Il faut que j'aille à la bibliothèque régulièrement.*	faire un peu de sport le week-end ....
changer la décoration de ma chambre	trouver du temps pour jouer avec les enfants ....
être plus sympa avec mes parents	arrêter de fumer ....
apprendre à être plus patiente	être toujours de bonne humeur ....

À vous !

10 Lisez et répondez aux questions.

La Saint-Sylvestre et après...

En France, toutes les fêtes sont une bonne occasion de bien manger et de bien boire. La Saint-Sylvestre encore plus que les autres ! En général, on fête Noël en famille et le 31 décembre avec des amis. Ces soirs-là, on réveillonne* ! Menu habituel : huîtres, saumon fumé ou foie gras comme entrée, dinde aux marrons comme plat principal, gâteau pour le dessert. Champagne et bons vins, bien sûr !

À minuit, on se souhaite une bonne année, on s'embrasse, sous le gui si c'est possible. Dans les rues, les automobilistes klaxonnent. Le 1er janvier, on se repose !
Le 6 janvier, c'est la fête des Rois, on partage la galette des Rois en famille et au travail. Celui ou celle qui trouve la fève** dans sa part de galette (attention aux dents !) est le roi ou la reine. Il ou elle doit choisir son roi ou sa reine et offrir à son tour une galette.

* réveillonner : dîner tard dans la nuit le 24 décembre (réveillon de Noël) et le 31 décembre (réveillon du Jour de l'An). ** une fève : petit objet ou petit personnage en céramique, caché dans la galette.

a) Qu'est-ce qu'on mange le soir du 31 décembre en France ? ....
....

b) Et chez vous ? ....

c) Regardez les dessins. Ils correspondent à quelles phrases du texte ?

1.

1.

2.

3.

1. ....
2. ....
3. ....

Peur ? Moi, jamais !

Écoutez

1 Écoutez et cochez ce que vous entendez.

1. ❑ **a)** Voyager à bicyclette, le bonheur !　　　❑ **b)** Voyager à bicyclette ? Quelle horreur !

2. ❑ **a)** Mais non, on n'y peut rien !　　　❑ **b)** Personne n'y peut rien.

3. ❑ **a)** Il faudrait que tu puisses partir.　　　❑ **b)** Il faut qu'on puisse tous partir.

4. ❑ **a)** C'est vrai ? Ça t'est égal ?　　　❑ **b)** C'est vrai, ça m'est égal.

2 Écoutez et associez une phrase entendue et une phrase lue.

1. Elle trouve qu'il fait froid. → phrase : ....

2. Elle trouve que c'est une très bonne idée. → phrase : ....

3. Il est très étonné, très surpris. → phrase : ....

4. Ça lui est égal. → phrase : ....

5. Il a envie de manger une bonne pizza. → phrase : ....

6. Elle refuse absolument de partir. → phrase : ....

3 Écoutez et répondez aux questions.

a) Cette histoire s'est passée quand ? ....

b) L'avion reliait quelles villes ? .... et ....

c) Pourquoi elle a arrêté de regarder le film ? ....

d) Pourquoi son voisin a hurlé ? ....

Vocabulaire

4 Quel est le nom qui correspond au verbe ? Vérifiez dans le dictionnaire.

a) compliquer : une complica.............................

b) hurler : un hurle...

c) s'inscrire : une inscrip...................................

d) décider : une déci..

e) déménager : un déménage............................

f) discuter : une discus.....................................

g) vérifier : une vérifica....................................

h) commencer : le commence...........................

i) inviter : une invita..

j) supposer : une supposi.................................

k) changer : un change.....................................

l) s'amuser : un amuse.....................................

m) réfléchir : une réfle.......................................

Qu'est-ce que vous constatez ?

Les noms qui se terminent en .... sont masculins.

Les noms qui se terminent en ...., en .... ou en .... sont féminins.

5 Chassez l'intrus et expliquez quel est le point commun entre les autres mots.

a) un pilote – un avion – une hôtesse – un hôtel – un aéroport – des bagages – un voyage

b) le ventre – la main – la tête – le cœur – les yeux – la sœur – le pied – le nez

6 Les mots et expressions pour dire la peur.

J'étais paniqué. – J'étais mort de peur. – Mes cheveux se dressaient sur ma tête. – Mon cœur s'est arrêté de battre. – Mon sang s'est glacé dans mes veines. – Je tremblais comme une feuille. – J'étais vert de peur. – Mes dents faisaient clac clac clac.

Ces dessins correspondent à quelles expressions ?

a) ....

b) ....

Grammaire

7 Reliez les propositions.

a) Si tu as mal à la tête,   •   • **1.** va à la SPA et adopte un chat.

b) Si tu as très peur des souris,   •   • **2.** change de chaussures.

c) Si tu as mal aux pieds   •   • **3.** prends de l'aspirine.

d) S'il fait beau demain,   •   • **4.** je t'offre un voyage en Angleterre.

e) Si tu as trop chaud,   •   • **5.** on va à la plage !

f) Si tu réussis ton examen,   •   • **6.** travaille plus régulièrement.

g) Si tu veux faire des progrès en français,   •   • **7.** enlève ton manteau et ouvre la fenêtre.

8 Complétez avec *on, il* ou *ça*.

a) .... fait froid !

b) En Grèce, ... danse le sirtaki.

c) Merci, ... suffit.

d) Prends ton parapluie, ... pleut.

e) Tu vas ouvrir ? .... sonne à la porte.

f) .... y est ? Vous avez fini ?

9 Qu'est-ce que *le* ou *l'* représente dans les phrases suivantes ?

a) Elle est très peureuse. Ses enfants **le** sont aussi. → ....

b) Je vais te dire un secret mais ne **le** répète à personne ! → ....

c) Il a tort, bien sûr, mais il ne voudra jamais **l'**accepter. → ....

d) Ils sont richissimes mais personne ne **le** sait ! → ....

e) Gentil ? Ah non ! Vous ne **l'**êtes vraiment pas ! → ....

À vous !

10 Lisez et répondez aux questions.

La vie de Laurent est difficile : il a peur de tout. Peur des femmes, peur de son directeur, peur de ses collègues, de ses voisins... Mais aussi peur de l'avenir, peur de ne pas réussir dans son travail, peur d'être licencié... Ses peurs lui compliquent beaucoup la vie.

Quels conseils peut-on lui donner ?

D'abord, il doit comprendre que sa peur vient de lui-même. Le problème est en lui et pas en dehors de lui. Il doit analyser chaque situation et trouver la solution qui convient.

Un exemple : Laurent partage son bureau avec un collègue. Depuis des mois et des mois, ce collègue fume dans le bureau. D'abord, c'est interdit et, en plus, Laurent ne supporte pas la fumée. Mais il a peur de lui faire une remarque.

a) « Ses peurs lui compliquent beaucoup la vie ». Donnez deux ou trois exemples.

....

....

b) Quels conseils pouvez-vous donner à Laurent vis-à-vis de son collègue fumeur ?

....

....

....

....

c) Quels conseils pouvez-vous donner à Laurent pour que sa vie soit plus facile ?

....

....

....

....

....

Jouer n'est pas gagner

Écoutez

1 Écoutez et cochez ce que vous entendez.

1. ❑ **a)** Vous êtes du signe du Bélier ?   ❑ **b)** Vous êtes Cancer ou Bélier ?

2. ❑ **a)** Vous avez perdu combien ? Beaucoup ?   ❑ **b)** Vous avez gagné combien ? Beaucoup ?

3. ❑ **a)** Vous êtes très apprécié par vos amis.   ❑ **b)** Vous serez aimé par tous vos amis.

4. ❑ **a)** Il ne veut ni partir ni rester !   ❑ **b)** Elle veut partir ou rester ?

2 Écoutez trois fois et complétez le tableau.

Nombre de bons numéros	Nombre de grilles gagnantes	Gain par grille gagnante
5 + n° Chance	Pas de gagnant	
5	2	
4		1 156 euros
3	20 210	
2		5,30 euros

3 Écoutez l'horoscope du jour et cochez la bonne réponse.

	Lion	Vierge	Balance
a) Qui va faire des conquêtes aujourd'hui ?			
b) Vénus est avec quel signe ?			
c) Qui mange trop et doit faire du sport ?			
d) Qui doit dormir plus ?			
e) Qui est protégé par Uranus ?			
f) Qui est trop timide en amour ?			

Vocabulaire

4 Quel est le contraire de...

a) heureux ≠ ....   **b)** stressé ≠ ....   **c)** triste ≠ ....

d) permis ≠ ....   **e)** énorme ≠ ....   **f)** compliqué ≠ ....

5 ▎ **Voici les douze signes astrologiques.**

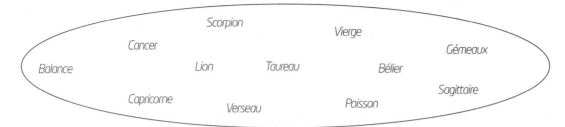

Cinq signes ont des noms d'animaux. Répondez pour les retrouver.

a) Quel animal vit dans l'eau ? ....

b) Quel animal est-ce qu'on peut voir pendant une corrida ? ....

c) Quel animal vit dans les pays chauds et est très dangereux parce qu'il pique ? ....

d) Quel animal est de la même famille que les moutons ? ....

e) Quel animal est le roi des animaux ? ....

Grammaire

6 ▎ **Transformez comme dans l'exemple. Vérifiez dans le précis grammatical.**

Exemple : Viens avec nous ! → Il faut que tu viennes avec nous.

a) Dépêchons-nous ! → Il faut que ....

b) Faites attention ! → Il faut que ....

c) Finis ton petit-déjeuner. → Je voudrais que ....

d) Prends la voiture si tu veux. → Je veux bien que ....

e) Tu as mal aux dents ? Va chez le dentiste ! → Il faut que ....

f) Inscrivez-vous à la bibliothèque. → Il faut que ....

g) Choisis ce que tu veux. → Je voudrais que ....

h) Téléphone ! Réponds, s'il te plaît ! Moi, je ne peux pas. → Il faut que ....

i) Attendez-moi ! → Je veux que ....

j) Il neige ! Conduisez doucement. → Il faut que ....

7 ▎ **Cochez les verbes à la forme passive.**

a) Le train est arrivé avec une heure de retard. ❏

b) Le musée sera fermé pour travaux du 12 au 28 septembre. ❏

c) On a annoncé ce matin la mort de cet architecte très célèbre. ❏

d) Tu es sûr que la voiture a été vérifiée ? ❏

e) Désolé ! L'appartement est déjà loué. ❏

f) Ce tableau de Picasso a été vendu en 1947 pour dix mille francs de l'époque. ❏

g) Des centaines de chiens sont abandonnés chaque année. ❏

8 Transformez ces phrases comme dans l'exemple. Attention au temps.

Exemple : Deux hommes ont été kidnappés hier matin par trois inconnus.

   → *Trois inconnus ont kidnappé deux hommes hier matin.*

a) Un sac bleu marine a été perdu par une cliente du magasin.

   → ....

b) Nous avons été réveillés à quatre heures du matin par le téléphone.

   → ....

c) Le nouveau projet de loi sera discuté par les députés à l'Assemblée nationale en mars.

   → ....

d) La politique du gouvernement est critiquée par tous les partis d'opposition.

   → ....

e) La Ferrari sera pilotée par Fernando Alonso.

   → ....

f) Les locataires sont protégés par la loi de novembre à mars.

   → ....

g) L'exercice a été compris par tous les élèves. Super !

   → ....

À vous !

9 Lisez et répondez aux questions.

J'étais « accro »* au jeu !

Bonjour. Je m'appelle Mathilde et j'ai 33 ans. Tout a commencé il y a cinq ans. J'étais en vacances à Deauville avec des amis. Nous sommes allés au casino, j'ai joué et j'ai gagné 150 euros à la machine à sous... J'étais folle de joie ! Alors, j'ai continué, j'espérais gagner encore plus et ressentir encore ce bonheur... J'ai tout reperdu, bien sûr !

Très vite, c'est devenu une véritable drogue. J'y pensais le jour, la nuit, tout le temps.

J'ai perdu une vraie fortune en quatre ans. J'ai perdu de l'argent mais j'ai aussi perdu mes amis. Je leur demandais de l'argent. À chaque fois, je leur promettais d'arrêter mais je ne pouvais pas ! C'était plus fort que moi, une vraie maladie.

Un jour, quelqu'un m'a parlé d'une association qui aide les joueurs à arrêter. J'ai rencontré des gens compréhensifs et compétents. Ils m'ont écoutée, ils m'ont donné des conseils. Depuis huit mois, je ne joue plus. J'espère que c'est du passé.

* être « accro » = être dépendant

a) Mathilde compare sa passion pour le jeu à quoi ? ....

b) En plus de l'argent, qu'est-ce que Mathilde a aussi perdu ? ....

c) Qui l'a aidée à arrêter de jouer ? ....

d) Est-ce que Mathilde est sûre qu'elle ne jouera plus jamais ? Expliquez votre réponse.

....

....

Civilisation

1 Lisez le texte et répondez aux questions.

Aux Antilles, le **quimboiseur**, c'est le sorcier. Il se fait souvent appeler *professeur*. On va chez lui pour avoir des conseils pour l'amour, l'argent, le travail, les examens, pour gagner au Loto... Mais aussi pour se protéger du mauvais sort.

Le quimboiseur apporte la santé, la chance ou le bonheur mais il peut aussi jeter un sort, c'est-à-dire envoyer une malédiction à quelqu'un. Il fabrique des boissons magiques et des quimbois. Le quimbois est un petit paquet qui porte malheur.

Professeur Alain Louis
Grand voyant médium

- Résout tous vos problèmes : amour, mariage, chance, examens, commerce, problèmes familiaux
- Vous protège contre tous les dangers (impuissance sexuelle, maladies, mauvais œil).
- Travail sérieux, efficace, 22 ans d'expérience
- Réussite garantie à 100 %, résultats en trois jours
- Paiement après la réussite
- Discrétion garantie.

a) À votre avis, pourquoi le quimboiseur se fait appeler *professeur* ?

....

....

b) Lisez la carte du professeur. Est-ce qu'il a des pouvoirs positifs ou négatifs ? Pourquoi ?

....

....

c) Est-ce que les résultats de son travail sont immédiats ? ....

d) Qu'est-ce que veut dire *discrétion garantie* ? ....

....

....

2 Quelques croyances et superstitions des Antilles.

Ce qui porte malheur...
– Ne mettez jamais un chapeau sur un lit.
– Mesdames, le 1er janvier, ne mettez jamais une robe bleue ou noire ! Et ce jour-là, ne faites pas le ménage.
Ce qui porte bonheur toute l'année...
Le 31 décembre, prenez un bain dans la mer, tout près d'une rivière : il faut que l'eau de mer et l'eau douce se mélangent.

Vous êtes Antillais(e). Le 1er janvier, votre voisine met une robe bleue et elle fait le ménage. Qu'est-ce que vous lui dites ?

....

....

3 Attention aux zombies !

Aux Antilles, les zombies, ce sont les esprits des morts qui reviennent sur Terre, les *revenants*.

Dans votre pays, est-ce qu'on croit aux revenants ? Est-ce qu'ils font peur ?

....

....

....

Évaluation finale

1 Cochez la bonne réponse. (/5)

1) « Il fait froid. » Je parle   **a)** ❑ d'une personne   **b)** ❑ d'un objet   **c)** ❑ du temps.

2) « Je fais du 46. » Elle parle   **a)** ❑ de vêtements   **b)** ❑ de chaussures   **c)** ❑ de son adresse.

3) « On s'entend très bien. » signifie   **a)** ❑ On se déteste.   **b)** ❑ On s'aime bien.   **c)** ❑ On écoute.

4) « Le film n'est pas mal. » signifie   **a)** ❑ Il n'est pas cher.   **b)** ❑ Il n'est pas triste.   **c)** ❑ Il est bien.

5) « Qu'est-ce qu'on dit ? »   **a)** ❑ poser une question   **b)** ❑ demander une question   **c)** ❑ faire une question

2 Les contraires (/10)

1) heureux ≠ ....

2) simple ≠ ....

3) triste ≠ ....

4) refuser ≠ ....

5) ouvrir ≠ ....

6) pire ≠ ....

7) obligatoire ≠ ....

8) sombre ≠ ....

9) finir ≠ ....

10) maigrir ≠ ....

3 *Vrai* ou *faux* ? Entourez la bonne réponse. (/5)

1) Tous les mots en -*er* sont des verbes (*exemple : travailler*).   vrai / faux

2) On ne peut pas dire « Je vais chez l'université. »   vrai / faux

3) Une drôle de fille, c'est une fille un peu étrange.   vrai / faux

4) « Il va en boîte » veut dire « Il va travailler ».   vrai / faux

5) « Il y a un monde fou » veut dire « Il y a beaucoup de gens ».   vrai / faux

1 Entourez la bonne réponse. (/10)

1) Je connais Bernard Martinet *depuis / il y a / pendant* deux ans.

2) Je suis allé à San Francisco une seule fois *depuis / il y a / pendant* vingt ans.

3) J'ai vécu à San Francisco *depuis / il y a / pendant* dix ans, de 2000 à 2010.

4) C'est moi qui *est / suis / ai* venu hier matin.

5) Je vous présente Mathieu, un copain *qui / que / qu'*est avec moi au cours de judo.

6) Londres ? *Je vais y aller / j'y vais aller / je vais aller* le week-end prochain.

7) Non merci, je ne veux *rien plus / plus rien / pas plus rien*.

8) Dis-moi, tu penses à ta grand-mère ? Tu ne veux pas *l' / la / lui* appeler ce soir pour son anniversaire ?

9) Mais je *l' / la / lui* ai déjà téléphoné ce matin.

10) Dans trente ans, *on va / on va aller / on ira* peut-être sur la lune en vacances.

2 *Vrai* ou *Faux* ? Entourez la bonne réponse. (/5)

1) Après *Il faut que...*, on doit utiliser le subjonctif. vrai / faux

2) Le terme de comparaison *aussi* est toujours suivi d'un adjectif ou d'un adverbe. vrai / faux

3) L'impératif du verbe *travailler* à la 2ᵉ personne du singulier est *Travaille !* vrai / faux

4) Le gérondif n'a pas toujours la terminaison en *-ant.* vrai / faux

5) Le verbe *devoir* a deux sens : l'obligation, la nécessité et la supposition, la probabilité. vrai / faux

3 Entourez la bonne réponse. (/5)

1) Nous connaissons absolument *tout / tous* le monde dans notre quartier.

2) Il est arrivé *ce / cet* hiver.

3) Allez, debout ! On *cent / sans / s'en* va !

4 et 5) *Cet / C'est* idiot ! Julie *c'est / s'est* trompée de route en allant à Marseille.

Compréhension orale et Interaction orale (/40)

1 Écoutez et dites à quel lieu correspond chaque situation. (/6)

Lieu	Situation
1) à la gare	
2) dans un magasin	
3) à la banque	
4) chez le médecin	
5) à l'entrée d'un cinéma	
6) au restaurant	

2 Écoutez deux fois et complétez le tableau. Écoutez encore une fois pour vérifier vos réponses. ⊙ (/5)

	Prénom	Âge	Occupation
Grand-père maternel	Henri		à la retraite
Grand-mère maternelle	Hélène		aide pour la comptabilité
Grand-père paternel		83 ans	à la retraite
Père	Mario		
Mère		57 ans	
Frère 1		33 ans	
Frère 2			
Sœur 1		31 ans	vendeuse
Sœur 2	Vanessa		collégienne
Sœur 3	Clara	14 ans	collégienne

3 Écoutez et répondez aux questions. ⊙ (/8)

1) À qui Monsieur Mathieu téléphone ? ....

2) Pour quoi faire ? ....

3) La maison a combien de pièces ? Et combien de chambres ? ....

4) Qu'est-ce qu'il y a dans le jardin ? ....

5) Le quartier est comment ? ....

6) C'est au bord de la mer ? ....

7) Quel est le prix pour une semaine en juillet ? ....

8) Tout est compris (inclus) dans le loyer ? ....

4 Écoutez et complétez. ⊙ (/4)

Voilà un cambrioleur qui n'a pas eu de .... ! L'homme été retrouvé, ivre mort, sur le canapé d'une .... qu'il venait de .... dans la banlieue de Bordeaux.

En rentrant, la .... a eu la surprise de trouver un homme couché sur le canapé. Il dormait de tout son cœur, deux .... de vin vides à côté de lui.

Elle est aussitôt sortie de la maison et a appelé la .... qui est arrivée très vite. L'homme n'a opposé aucune résistance : il a expliqué qu'il avait eu .... et qu'il avait « trouvé » les deux bouteilles à la cave. On a retrouvé dans son sac des .... et de l'argenterie volés.

L'homme a été placé en garde à vue.

5 **Écoutez et écrivez.**
Vous êtes la mère de Nathalie. Vous lui laissez un message. ◉ (/4)

....
....
....
....
....

6 **Écoutez et répondez *vrai, faux* ou *on ne le dit pas*.** ◉ (/8)

	Vrai	Faux	On ne le dit pas
1) Avignon est à 432 km de Paris.	❑	❑	❑
2) À Avignon, il fait très chaud l'été et très froid l'hiver.	❑	❑	❑
3) Avignon est au bord du Rhône.	❑	❑	❑
4) Il y a eu des papes dans cette ville au 14ᵉ siècle.	❑	❑	❑
5) Le Festival d'Avignon date de 1968.	❑	❑	❑
6) On continue à danser sur le pont d'Avignon.	❑	❑	❑
7) On peut aller en TGV de Paris à Avignon.	❑	❑	❑
8) Le Palais des Papes est classé au Patrimoine de l'Humanité.	❑	❑	❑

7 **Associez une situation et une phrase.** (/5)

a) Votre ami part en voyage ; il est en voiture.

b) Votre collègue vous annonce que sa femme et lui viennent d'avoir un petit garçon.

c) Votre amie vous montre la photo de son nouveau copain.

d) Vous dites au revoir à votre collègue. Elle va au concert, ce soir.

e) La boulangère vous dit que vous avez oublié le gâteau que vous avez acheté.

f) Votre sœur vous montre le manteau qu'elle vient d'acheter.

g) Vous voulez acheter du beurre et des œufs. Vous avez un billet de 50 euros.

h) Comme d'habitude, vous arrivez en retard à la réunion.

i) Mon fils a mal à la tête depuis ce matin.

j) Votre ami ne peut pas venir à votre rendez-vous ce soir.

	Situation
1) Je suis vraiment désolé, excusez-moi ! C'est la dernière fois, promis !	....
2) Bravo ! Félicitations pour tous les deux. Et il s'appelle comment ?	....
3) Il est super ! Tu l'as rencontré où ?	....
4) Merci, c'est gentil. Je n'ai vraiment rien dans la tête !	....
5) Allez, bonne route et sois prudent !	....
6) Il est vraiment bien, très joli. Tu l'as trouvé où ?	....
7) Bonsoir. Passez une bonne soirée.	....
8) Je suis désolée, je n'ai pas de monnaie.	....
9) Ce n'est pas grave. On se verra la semaine prochaine !	....
10) Si ça continue, on va prendre rendez-vous chez le docteur Martin.	....

1 Lisez et répondez aux questions. (/8)

Un rêve bientôt réalisé : on va marcher sur la lune !

En décembre 2012, d'anciens responsables de la NASA ont annoncé la création d'une entreprise privée originale.
Son nom : Golden Spike Company. Son but ? Organiser des vols vers la lune pour tout le monde, pour vous et moi.
Attention, ne commencez pas votre valise tout de suite. Les premiers vols sont prévus en 2020. Mais commencez à
mettre régulièrement quelques dollars dans votre tirelire. Si vous voulez partir en voyage de noces avec votre chéri(e),
cela vous coûtera 1,5 milliard de dollars. Mais pour ce prix, vous pourrez vous promener en toute liberté sur la lune !
Il faut dire que ce n'est pas juste à côté mais à 384 400 kilomètres (sans compter le retour !).
Les fondateurs de la société Golden Spike Company pensent qu'avec le temps, le prix va certainement baisser.
Nous vous conseillons donc d'attendre 2050 ou 2060. Mais il faudra persuader l'amour de votre vie d'être patient(e).
Si vous attendez juillet 2069, vous pourrez fêter là-bas le centenaire du jour où Neil Armstrong a marché sur la lune.

a) Quelle est la distance aller-retour de la Terre à la lune ? ....

b) Les premiers vols de la Terre à la lune sont prévus pour quelle date ? ....

c) Qu'est-ce qu'une tirelire ?

1) ❑

2) ❑

3) ❑

d) À quelle date est-ce que Neil Armstrong a marché sur la lune ? ....

e) Qui pense que le prix du vol Terre-Lune sera de moins en moins cher ? ....

f) Voici trois définitions. Trouvez le mot qui correspond (il est dans le texte).

• On en fait quand on dort mais aussi quand on est réveillé = des ....

• On le fait juste après le mariage. = un ....

• le 100ᵉ anniversaire = le ....

2 Lisez le texte et répondez aux questions. (/8)

Les personnes favorables à une modification de la loi disent que cela permettrait à ceux qui décident de travailler le dimanche
de gagner plus (les heures travaillées le dimanche sont mieux payées) et à l'entreprise de créer des ....
supplémentaires; ils disent aussi que, le dimanche, c'est bien agréable de venir se balader en famille dans les centres commerciaux.
« Il y a moins de monde que le samedi, moins d'... sur les routes. On fait ses courses tranquillement, on
déjeune au self et les enfants adorent ! », dit cette mère de famille. « Et puis, c'est un droit, c'est notre liberté. » ajoute un autre.
« Pas d'accord » disent les .... « C'est un retour au 19ᵉ siècle ! La vie de famille des employés, vous y pensez ?
Vous aimeriez travailler le dimanche, vous ? Alors, pourquoi la caissière de votre supermarché aimerait ça ? On peut bien passer une
journée sans consommer, non ? On devient esclave ! » dit ce Parisien.
Les personnes favorables à une modification de la loi disent que cela permettrait à ceux qui décident de travailler le dimanche
de gagner plus (les heures travaillées le dimanche sont mieux payées) et à l'entreprise de créer des ....
supplémentaires; ils disent aussi que, le dimanche, c'est bien agréable de venir se balader en famille dans les centres commerciaux.

« Il y a moins de monde que le samedi, moins d' .... sur les routes. On fait ses courses tranquillement, on déjeune au self et les enfants adorent ! », dit cette mère de famille. « Et puis, c'est un droit, c'est notre liberté. » ajoute un autre. « Pas d'accord » disent les .... « C'est un retour au 19ᵉ siècle ! La vie de famille des employés, vous y pensez ? Vous aimeriez travailler le dimanche, vous ? Alors, pourquoi la caissière de votre supermarché aimerait ça ? On peut bien passer une journée sans consommer, non ? On devient esclave ! » dit ce Parisien.

a) Complétez le texte avec les mots suivants. (sur 3 points)

embouteillages - emplois - magasins - modifier - opposants - progrès

b) Chassez l'intrus et dites quel est le point commun entre les autres mots. (sur 2 points)

commerce - achat - boutique - modification - magasin - supérette - marchand - commerçant

c). Écrivez les arguments *pour* et les arguments *contre* l'ouverture des magasins dimanche. (sur 3 points)

Pour	Contre

3 Lisez et répondez aux questions des participants au Forum suivant. (/4)

Devenir auxiliaire de puériculture

99 % des auxiliaires de puériculture sont des femmes. Nous dirons donc « elle ». Pardon pour le 1 % masculin.

Qu'est-ce qu'elle fait ?

Elle s'occupe des bébés et des jeunes enfants de moins de trois ans. Elle leur donne le biberon, elle les change, elle les fait manger, elle joue avec eux, elle leur apprend à parler, à marcher, à être propre.... Elle s'occupe aussi de la propreté de la crèche ou de la halte-garderie.

Elle travaille où ?

Dans le secteur public ou dans le secteur privé : maternités, hôpitaux, crèches, haltes-garderies... Il faut quelles qualités ? De la douceur, de l'attention, de la patience, du sérieux, un grand sens des responsabilités. Et bien sûr, il faut aimer les bébés !

C'est bien payé ?

Pas très bien. Le salaire commence à 1 200 euros environ (en 2013).

Il faut un diplôme ?

Oui, le DEAP (Diplôme d'État d'Auxiliaire de Puériculture). L'examen comprend une épreuve de culture générale, des tests d'aptitude pour voir si ce métier vous convient et un entretien oral. Aucun diplôme n'est demandé pour passer ce concours, mais il faut avoir au moins 17 ans. Après la réussite au concours, il y a une formation de dix mois comprenant des stages pratiques et des cours théoriques.

1. Jimmy : Bonjour, j'aimerais devenir auxiliaire de puériculture parce que j'adore les enfants. Est-ce que le concours est ouvert aux garçons ? Merci.

....

2. Chloé : Bonjour, je viens de rater le bac. On me dit que sans le bac, c'est impossible de présenter le concours d'auxiliaire de puériculture. Est-ce que c'est vrai ? Merci.

....

3. Fanny : Bonjour, est-ce qu'après le concours je pourrai commencer à travailler tout de suite dans une crèche ? Merci.

....

4. Meriem : Bonjour, est-ce qu'avec le DEAP je peux travailler dans une école maternelle ? Je préférerais m'occuper d'enfants de quatre ou cinq ans. Merci.

4 Lisez cet article de journal et répondez aux questions par une phrase complète. (/5)

Au loup, au loup !

On sait qu'il y a quelques loups dans les Alpes italiennes. Mais pas dans le Sud-Ouest de la France ! Jamais ! Eh bien si ! Le 20 novembre dernier, J.-F. L. en a vu un dans le Gers et il l'a même photographié. Il raconte :

« J'allais quitter la maison pour partir travailler, il faisait froid. Il était tôt. Je regarde le champ en face de chez moi et qu'est-ce que je vois ? Un loup qui se promenait tranquillement ! Ma femme m'a dit que c'était probablement un gros chien. Mais je suis allé chercher mon appareil photo et j'ai pris trois photos. Pas de doute, l'examen des photos montre que ce n'était pas un chien mais un vrai loup.

Les enfants ont peur et ils adorent ça. Les éleveurs sont moins contents : ils ont peur pour leurs moutons. Certains parlent déjà de sortir les fusils. Mais attention, le loup est une espèce protégée et en tuer un conduit directement en prison.

Pas de panique : les loups parcourent 150 ou 200 kilomètres chaque jour. Le loup du Gers doit être loin. Peut-être pas très loin de chez vous. Regardez bien !

1. Pourquoi madame L. a pensé que son mari avait vu un chien et non un loup ?

2. Pourquoi les éleveurs sont mécontents ?

3. Que veut dire une espèce protégée ?

4. J.-F. L. a vu le loup à quel moment de la journée ?

5. Le Gers est dans quelle partie de la France ? Cochez la bonne réponse.

a) ❏ Nord-Est

b) ❏ Nord-Ouest

c) ❏ Centre

d) ❏ Sud-Est

e) ❏ Sud-Ouest

COMPTEZ VOS POINTS

VOCABULAIRE	.... **/ 20**

GRAMMAIRE et ORTHOGRAPHE	.... **/ 20**

COMPRÉHENSION ORALE et INTERACTION ORALE		.... **/ 40**
	1.	.... /6
	2.	.... /5
	3.	.... /8
	4.	.... /4
	5.	.... /4
	6.	.... /8
	7.	.... /5

COMPRÉHENSION ET EXPRESSION ÉCRITES		.... **/ 25**
	1.	.... /8
	2.	.... /8
	3.	.... /4
	4.	.... /5

Exploitation vidéo

Unité 1 — Parler de soi, parler aux autres

Résumé

Nastasia et Jérémie parlent de leurs origines.

Activités de compréhension

1 Dites si les phrases suivantes sont vraies ou fausses.

a. Nastasia est née en Suisse.

❏ VRAI ❏ FAUX

b. Bruxelles est la capitale des Pays-Bas.

❏ VRAI ❏ FAUX

c. Nastasia a eu son Bac à en Allemagne.

❏ VRAI ❏ FAUX

d. Le conservatoire de Bruxelles propose une formation théâtrale.

❏ VRAI ❏ FAUX

e. Nastasia aime la France pour son histoire.

❏ VRAI ❏ FAUX

f. Bruxelles est plus peuplé que Paris.

❏ VRAI ❏ FAUX

g. Nastasia compte rester en France.

❏ VRAI ❏ FAUX

h. Il y a trois langues officielles en Belgique.

❏ VRAI ❏ FAUX

2 Choisissez la bonne réponse.

1. Après la Suisse, Nastasia est allée...
a. en Biélorussie.
b. en Allemagne.
c. en France.

2. À Minsk, Nastasia a suivi...
a. une visite guidée.
b. des cours de russe.
c. une formation théâtrale.

3. Jérémie est...
a. comédien.
b. producteur.
c. réalisateur.

4. Jérémie préfère Bruxelles à Paris car...
a. c'est plus calme.
b. c'est plus petit.
c. il y a moins d'habitants.

5. Nastasia voudrait prochainement...
a. rentrer en Suisse.
b. aller aux États-Unis.
c. retourner en Allemagne.

6. Quelle est la langue officielle la moins courante en Belgique ?
a. Le français
b. Le néerlandais
c. L'allemand

Exploitation vidéo

Unité 2 — Donner un conseil

Résumé

Un jeune homme passe chercher sa copine en Autolib'.
Celle-ci est surprise et est intransigeante sur les règles de sécurité.

OBJECTIFS

- Proposer une sortie
- Décrire un lieu
- Prendre une décision
- Faire un projet lié à la vie quotidienne
- Faire des achats
- Conseiller, déconseiller, interdire

Activités d'observation

1 Dites si les phrases suivantes sont vraies ou fausses.

a. La voiture est garée sur le trottoir.
❑ VRAI ❑ FAUX

b. La jeune fille est la conductrice.
❑ VRAI ❑ FAUX

c. Le jeune homme est passager.
❑ VRAI ❑ FAUX

d. Ils attachent leur ceinture de sécurité.
❑ VRAI ❑ FAUX

2 Choisissez la bonne réponse.

1. Lorsque le téléphone sonne, le jeune homme...
a. répond.
b. le laisse sonner.
c. le donne à son amie.

2. Le gilet de sécurité se trouve...
a. à l'arrière de la voiture.
b. dans le sac de la jeune fille.
c. dans la veste du jeune homme.

3. La rue est...
a. à sens unique.
b. à double-sens.
c. piétonne.

Activités de compréhension

3 Dites si les phrases suivantes sont vraies ou fausses.

a. Le jeune homme a loué la voiture.
❑ VRAI ❑ FAUX

b. La voiture marche au diesel.
❑ VRAI ❑ FAUX

c. Le bouton à côté du volant émet un signal sonore.
❑ VRAI ❑ FAUX

d. Téléphoner au volant est toléré.
❑ VRAI ❑ FAUX

4 Choisissez la bonne réponse.

1. Mettre sa ceinture de sécurité est...
a. facultatif.
b. conseillé.
c. obligatoire.

2. Le triangle de signalisation sert...
a. en cas de désaccord.
b. en cas de problème.
c. en cas d'excès de vitesse.

3. La voiture roule grâce...
a. au diesel.
b. au sans plomb.
c. à l'électricité.

Exploitation vidéo

Unité 3 — Chercher et trouver

Résumé

Un jeudi par mois, une soirée est organisée pour faciliter la recherche d'une colocation. Reportage.

Un jeudi par mois, une soirée est organisée pour faciliter la recherche d'une colocation. Reportage.

OBJECTIFS

- Décrire un appartement.
- Décrire et comparer.
- Discuter d'un achat.
- Commenter.
- Discuter des projets de vacances.
- Comparer.
- Exprimer son désaccord.
- Comprendre les petites annonces, y répondre.

Activités d'observation

1 Dites si les phrases suivantes sont vraies ou fausses.

a. Seulement des jeunes sont présents à la soirée.

❏ VRAI ❏ FAUX

b. Les annonces sont accrochées sur un tableau.

❏ VRAI ❏ FAUX

c. La soirée a lieu dans un bar Parisien.

❏ VRAI ❏ FAUX

d. Les invités présentent des photos de leur appartement.

❏ VRAI ❏ FAUX

2 Choisissez la bonne réponse.

1. Le sol de la pièce est en...

a. carrelage.

b. béton.

c. parquet.

2. Qu'est-ce qui éclaire la pièce ?

a. des néons

b. le soleil par les fenêtres

c. des lustres et des appliques

3. Les murs de la pièce sont vêtus de...

a. papier peint.

b. peinture.

c. carrelage.

Activités de compréhension

3 Dites si les phrases suivantes sont vraies ou fausses.

a. La soirée est organisée tous les jeudis.

❏ VRAI ❏ FAUX

b. Paris intra-muros désigne la banlieue parisienne.

❏ VRAI ❏ FAUX

c. Les gens interrogées recherchent un type particulier de colocataire.

❏ VRAI ❏ FAUX

d. La maison de Vitry-sur-Seine est divisée en 3 appartements.

❏ VRAI ❏ FAUX

4 Choisissez la bonne réponse.

1. Les invités veulent...

a. uniquement trouver un appartement.

b. bien s'entendre avec leur futur colocataire.

c. démarrer une relation.

2. Un grand appartement permet...

a. d'avoir un espace en commun avec les locataires et sa propre chambre.

b. un bon entretien et une bonne hygiène.

c. le calme et la lumière.

3. Avoir un jardin dans Paris est...

a. obligatoire.

b. courant.

c. rare.

Exploitation vidéo

Unité 4 Décrire et donner son opinion

Résumé

La Ferme Tropicale est une animalerie spécialisée dans les « Nouveaux Animaux de Compagnie » (NAC). Reportage.

OBJECTIFS

- Décrire quelqu'un.
- Exprimer ses sentiments.
- Expliquer un itinéraire.
- Décrire un lieu.
- Raconter un événement.
- Décrire et commenter une attitude.
- Expliquer son propre comportement.
- Se justifier.

Activités d'observation

1 Dites si les phrases suivantes sont vraies ou fausses.

a. On présente des chiens dans cette animalerie.
❏ VRAI   ❏ FAUX

b. Les reptiles sont en liberté.
❏ VRAI   ❏ FAUX

c. Les reptiles possèdent des poils.
❏ VRAI   ❏ FAUX

d. Une grenouille peut être bleue
❏ VRAI   ❏ FAUX

2 Choisissez la bonne réponse.

1. De quoi se nourrit le serpent ?
a. de souris
b. d'insectes
c. de poissons

2. Le serpent possède...
a. des écailles.
b. une fourrure.
c. une peau.

3. Les reptiles sont enfermés dans...
a. des terrariums.
b. des cages.
c. des aquariums.

Activités de compréhension

3 Dites si les phrases suivantes sont vraies ou fausses.

a. Les reptiles ne sont pas des animaux courants.
❏ VRAI   ❏ FAUX

b. Il est nécessaire d'avoir un diplôme pour posséder un NAC.
❏ VRAI   ❏ FAUX

c. Un gros reptile peut être dangereux.
❏ VRAI   ❏ FAUX

d. Un reptile est indépendant de son maître.
❏ VRAI   ❏ FAUX

4 Choisissez la bonne réponse.

1. En nourrissant le serpent, celui-ci peut vous...
a. mordre.
b. câliner.
c. frapper.

2. Posséder un NAC demande...
a. une formation.
b. de la passion.
c. un diplôme.

3. Un gros reptile peut être dangereux de par...
a. ses envies.
b. son regard.
c. sa masse corporelle.

Exploitation vidéo

Unité 5 — Vivre ensemble

Résumé

Christophe et Elodie sont les invités d'une émission de radio sur le thème de la Fête des Voisins, présentée par Nadia.

OBJECTIFS

- Se plaindre de quelqu'un
- Exposer ses difficultés
- Comprendre une émission de radio.
- Argumenter un choix.
- Décrire les caractéristiques d'un quartier

Activités d'observation

1 Dites si les phrases suivantes sont vraies ou fausses.

a. Nous assistons à une émission de télévision
❏ VRAI   ❏ FAUX

b. Les invités portent un casque
❏ VRAI   ❏ FAUX

c. L'émission se passe la nuit.
❏ VRAI   ❏ FAUX

d. L'animatrice est une femme.
❏ VRAI   ❏ FAUX

2 Choisissez la bonne réponse.

1. Christophe, Elodie et Nadia sont...
a. assis.
b. debout.
c. allongés.

2. Le T-shrirt de Christophe est...
a. rouge.
b. bleu.
c. vert.

3. À la droite de Nadia, on compte...
a. un écran.
b. deux écrans.
c. trois écrans.

Activités de compréhension

3 Dites si les phrases suivantes sont vraies ou fausses.

a. Christophe est l'animateur de l'émission.
❏ VRAI   ❏ FAUX

b. Élodie a écrit un livre.
❏ VRAI   ❏ FAUX

c. Christophe soutient la fête des voisins.
❏ VRAI   ❏ FAUX

d. La fête des voisins compte un million de participants.
❏ VRAI   ❏ FAUX

4 Choisissez la bonne réponse.

1. La fête des voisins est d'origine...
a. belge.
b. française.
c. espagnole.

2. Le rendez-vous musical de Christophe se trouve...
a. dans un square.
b. devant la mairie.
c. dans une salle des fêtes.

3. Pour Elodie, la fête des voisins, c'est l'occasion de...
a. de manger tous ensemble.
b. de danser.
c. de se parler entre voisin.

Exprimer un désir, une crainte...

Résumé

Elodie, Annabelle et Antoine expriment leurs habitudes, leurs craintes et leurs souhaits par rapport à l'astrologie, aux superstitions et à la chance.

OBJECTIFS

- Exprimer un souhait, un désir.
- Prendre de bonnes résolutions.
- Exprimer l'inquiétude, l'angoisse.
- Proposer des solutions.
- Exprimer ses craintes pour l'avenir.

Activités d'observation

1 Dites si les phrases suivantes sont vraies ou fausses.

a. Antoine lit son horoscope sur Internet.
❏ VRAI ❏ FAUX

b. Annabelle n'est pas influencée par l'astrologie.
❏ VRAI ❏ FAUX

c. Antoine a peur de marcher au bord du trottoir.
❏ VRAI ❏ FAUX

d. Elodie interprète les lettres et les numéros.
❏ VRAI ❏ FAUX

e. Antoine pense qu'il existe un « ordre » dans les files d'attente.
❏ VRAI ❏ FAUX

f. Annabelle rêve de quitter Paris.
❏ VRAI ❏ FAUX

g. Elodie continuerait à travailler.
❏ VRAI ❏ FAUX

h. Antoine pense gagner un jour au loto.
❏ VRAI ❏ FAUX

2 Choisissez la bonne réponse.

1. Quel est le signe astrologique d'Elodie ?
a. Gémeaux.
b. Poissons.
c. Scorpion.

2. Pourquoi Annabelle lit-elle son horoscope ?
a. Pour faire le bilan de sa journée
b. Pour prévoir ce qu'il peut lui arriver
c. Pour se divertir

3. Si Antoine marche sur les lignes du trottoir, il a peur...
a. qu'il lui arrive un accident.
b. qu'il soit témoin d'un accident.
c. qu'il arrive un accident à un proche.

4. Elodie trouve que son habitude de lire les plaques minéralogiques est...
a. inquiétante.
b. rassurante.
c. ridicule.

5. Au supermarché, Antoine trouve ses peurs...
a. drôles.
b. idiotes.
c. normales.

6. Annabelle rêverait...
a. de quitter paris.
b. d'acheter un journal.
c. de renouveler sa garde-robe.

Lexique

1. Les mots sont suivis du numéro de la leçon dans laquelle ils apparaissent la première fois.
2. Abréviations : f = féminin ; m = masculin ; qqch= quelque chose ; qqn=quelqu'un – **En gras** : les manières de dire.

A

1. à côté de 5
2. à la maison (= chez moi, chez nous) 15
3. abandonner 16
4. aboyer 17
5. accent (m) 1
6. accident (m) 24
7. accueillir 12
8. acteur (m), une actrice (f) 2
9. Adieu ! 11
10. adolescence (f) 19
11. adolescent (m), une adolescente (f) (= un(e) ado) 19
12. aider qqn (à faire qqch) 1
13. ailleurs 20
14. amitié (l') (f) 24
15. amour (l') (m) 2
16. animé(e) 9
17. annoncer 8
18. appartement (m) 9
19. apprécier qqch ou qqn 24
20. apprendre à faire qqch 23
21. architecture (f) 4
22. arrêter 5
23. arrêter (s') 5, 8
24. arrondissement (m) 9
25. ascenseur (m) 9
26. asseoir (s') 5
27. assez, pas assez 4
28. assis, assise 10, 15
29. astre (m) 24
30. attacher 8
31. **Attendez !** 1
32. attendre 8
33. **au bord de** 4
34. au fond de 10
35. augmenter 18
36. autant de... 11
37. auteur (m) 12
38. autoroute (f) 14
39. autour de 20
40. autre (m), une autre (f) 20
41. avion (m) 23
42. **avoir besoin de...** 8
43. **avoir envie de...** 7
44. **avoir faim** 8
45. **avoir la ligne, garder la ligne** 6
46. **avoir mal à** 23
47. **avoir peur de...** 14
48. **avoir soif** 8
49. **avoir tort** 16
50. **avoir une bonne oreille** 1

B

51. bague (f) 15
52. baisser 19
53. balcon (m) 9
54. banc (m) 16
55. bas (en) 20
56. beaux quartiers (= les quartiers riches) (m pl) 20
57. bénévole (m), bénévole (f) 15
58. bio, biologique 7
59. bisous 6
60. bizarre 24
61. boîte de nuit (f) 15
62. bonheur (m) 2
63. bonne affaire 12
64. **Bonne journée !** 6
65. bonne situation 12
66. **Bonnes vacances !
    Bonne route !** 8
67. Bouger 11
68. boulot, du boulot (fam. m) 22
69. bricoleur (m) 12
70. bruit, du bruit (m) 9, 17

C

71. **Ça a l'air...** 9
72. **Ça fait combien ? (En tout, ça coûte combien ?)** 7
73. **Ça fait peur. Ça me fait peur.** 18
74. **Ça m'est égal.** 23
75. **Ça m'intéresse.** 9
76. **Ça pose un problème.** 20
77. **Ça se passe bien. / Ça se passe mal.** 2
78. **Ça suffit à la fin !** 17, 23
79. **Ça suffit comme ça !** 16
80. **Ça va passer/passera.** 19
81. **Ça veut dire que...** 9
82. **Ça y est !** 8
83. cafétéria (f) 5
84. Calme 9, 16
85. campagne (f) 11
86. canapé-lit (m) 12
87. carte routière (f) 14
88. casser 18
89. celui-ci, celui-là / celle-ci, celle-là / ceux-ci, ceux-là / celles-ci, celles-là 10
90. centre (m) 3
91. centre-ville (m) 9
92. certains 20
93. **C'est bon pour la ligne.** 6
94. **C'est la femme de ma vie ! C'est l'homme de ma vie !** 13
95. **C'est l'horreur !** 19
96. **C'est mon genre.** 21
97. **C'est qqn de merveilleux.** 2
98. **C'est ridicule !** 23
99. **C'est terrible !** 18
100. **C'est tout ?** 7
101. **C'est trop fort !** 16
102. Chambre (f) 9
103. chaque 1
104. charmant, charmante 9
105. chien (m), chienne (f) 3
106. choisir 4
107. choix (m) 7, 18
108. chose (f) 10, 15
109. cigarette (f) 17
110. clair(e) 12
111. claquer 19
112. club (m) 22
113. cœur (m) 23
114. colère (f) 17
115. collège (m) 19
116. colocataire (m/f) 12, 17
117. comme (comparaison) 13
118. compliqué(e) 18, 23
119. comportement (m) 19
120. compréhensif, compréhensive 22
121. comprendre 14
122. comprendre (se) 20
123. conduire 8
124. confortable 12
125. content, contente 11
126. contrat (m) 18
127. contre 23
128. convivial(e) 11
129. correspondant (e) (m/f) 4
130. coucher (se) 2
131. couper 24
132. courir 6
133. court, courte 3
134. couteau (m) 24
135. coûter 10
136. crise (f) 19
137. critiquer qqch ou qqn 19
138. croire 1
139. croisière (f) 11
140. cuir (m) 12
141. cuisine (f) 9
142. cuisine-américaine (f) 9

D

143. **D'abord...** 5
144. dangereux, dangereuse 6
145. de la (gym)nastique (f) 6
146. de l'argent (m) 15
147. de l'autre côté 4
148. de temps en temps 6
149. décider de faire qqch 22
150. défaut (m) 17
151. demander à qqn de faire qqch 4
152. déménager 21
153. depuis des années 20
154. déranger 11
155. dernier téléphone portable (= à la mode) 19
156. derrière 21
157. devenir 19
158. deviner 13
159. diminuer 18
160. direction (f) 14
161. discuter avec qqn 17
162. disputer (se) 17
163. divorcer 18
164. Don Juan 13
165. donner qqch à qqn 7
166. doux, douce 13
167. drapeau (m) 10
168. drôle (= amusant) 13, 21
169. drôle d'histoire (= bizarre, étrange) 15
170. **Du calme !** 9
171. DVD (m) 15

E

172. émission (de radio, de télévision) (f) 2
173. emmener 16
174. emporter 15
175. en partie 4
176. endroit (m) 11
177. enfant (m, f) 3
178. enfermer (s') 19
179. Enfin... 5
180. enquête (f) 17
181. Ensuite... 5
182. entier, entière 20
183. envoyer 12
184. épinards (m pl.) 7
185. équipe de football 6
186. espérer 4
187. Et puis... 5
188. étage (m) 9
189. **être allergique à qqch** 7
190. **être de bonne humeur, de mauvaise humeur** 19
191. **être en bon état, être en mauvais état** 8
192. **être mort de peur** 23
193. exactement 10
194. exagérer 17
195. exceptionnel(le) 24
196. excursion (f) 11
197. excuse (f) 17
198. expliquer 15
199. exploser 19
200. extraordinaire 13

F

201. fac (la faculté = l'université) (f) 22
202. facilement 5
203. faim (f) 8
204. faire la connaissance de qqn 3
205. **faire les magasins** 10
206. **faire l'idiot** 21
207. **faire un régime** 6
208. **faire une remarque à qqn**
209. **faire une scène à qqn** 19
210. favorable 24
211. fermer 5
212. fidèle 13
213. fin (f) 2
214. finalement 20
215. fleur (f) 21
216. foie gras, du foie gras (m) 14
217. fois (f) 1
218. formalité (f) 18
219. fou, folle 7
220. francophone 4
221. frapper 16
222. fromage, du fromage (m) 7
223. fumer 17

G

224. gagner 13
225. gai(e) 4
226. galerie d'art 5
227. genre littéraire (m) 3
228. gentil, gentille 15
229. gilet de sécurité (m) 8
230. grossir 6
231. guide (m) 5
232. guitare (f) 3

H

233. hein 20
234. heureux, heureuse 2
235. horoscope (m) 24
236. hôtel particulier (m) 5
237. hurler 23

I

238. idéal(e) 21
239. **Il m'est arrivé...** 15
240. **Il y a de tout.** 20
241. **Il y a pas mal de gens. (= beaucoup de gens)** 11, 15
242. **Il y a un monde fou.** 10
243. île (f) 21
244. Imaginer 11
245. immeuble (m) 20
246. immigré (m) 20
247. impôt (m) 18
248. incendie (m) 23
249. indépendant, indépendante 12, 22
250. indispensable 21
251. inquiéter (s') 14, 19
252. inscrire (s') 22
253. insolent, insolente 19
254. intelligent, intelligente 21
255. interdit, interdite 6

256. inviter 24
J 257. jamais 7
258. jardin (m) 5
259. jeu (m) 24
260. jouer 20
261. jouer au Loto 24
262. jouer au, à la, aux (+ sport ou jeu de société) 3
263. jouer du, de la (+ instrument de musique) 3
264. jouer un rôle 2
265. jusqu'à 14
266. juste (= exactement) 2
K 267. karaté (m) 13
268. kidnapper 16
269. kilomètre (m) 14
L 270. la SPA : la Société Protectrice des Animaux 16
271. lac (m) 4
272. laisser 11
273. le mien, la mienne, les miens, les miennes 10
274. Le pire, c'est... 17
275. le tien, la tienne, les tiens, les tiennes 10
276. lequel, laquelle, lesquels, lesquelles 10
277. lever (se) 2
278. livre (m) 12
279. locataire (m) 17
280. Loto (m) 13
281. louer 12
282. lourd, lourde 1
M 283. maigrir 6
284. maillot de bain (m) 10
285. maillot une-pièce, un maillot deux-pièces 10
286. main (f) 8
287. malade 15
288. malheur (m) 24
289. malheureux, malheureuse 24
290. manuscrit (m) 12
291. marcher 13
292. mariage (m) 18
293. marier avec qqn (se) 18
294. mauvais, mauvaise 6
295. médias (m, pl) 4
296. médicament (m) 6
297. meilleur(e) 5
298. melon (m) 7
299. mer (f) 21
300. Merci, c'est charmant ! 22
301. merveille (f) 5
302. merveilleux, merveilleuse 2
303. message (m) 12
304. mesurer 11
305. mètre carré (m²) (m) 9
306. mettre en colère (se) 17
307. mieux (comparatif de bien) 7
308. milliardaire 21
309. million (m) 8
310. mince 3
311. minuscule 9
312. miroir (m) 24
313. moment 19
314. Mon bijou ! 16
315. Mon trésor ! 16

316. monde (m) 20
317. monter 23
318. moquer de (se) 17
319. musée (m) 5
320. musique (f) 2
N 321. nature (f) 13
322. ne plus en pouvoir de 6, 19
323. ne... jamais 7
324. nez (m) 21
325. ni 18
326. nombre (m) 18
327. normal(e) 17
328. note (f) 19
329. nouveau, nouvelle 17
330. nulle part 19
O 331. obligatoire 8
332. occuper de qqn ou de qqch (s') 9
333. odeur (f) 17
334. officiel(le) 18
335. offrir qqch à qqn 24
336. Oh, ma pauvre ! 7
337. On a le temps. 5
338. On ne peut rien y faire. 15
339. On n'en peut plus. 17
340. On se voit. 1
341. oncle (m) 1
342. orchestre (m) 3
343. oreille (f) 1
344. original(e) 12
345. ouvert, ouverte 5
346. ouvrir 5
P 347. pacser avec qqn (se) 18
348. pain (du) (m) 6
349. panne (f) 23
350. papiers (officiels) (m pl.) 20
351. par terre 15
352. parapluie (m) 16
353. pareil(le) 10
354. paresseux, paresseuse 22
355. partager 12, 17
356. partenaire (m/f) 2
357. partir (à partir de) 2
358. patient, patiente 19
359. pays (m) 4
360. peinture (f) 12
361. penser à faire qqch 8
362. perdre 6
363. perdre (au jeu) 24
364. perdre (se) 14
365. perle (f) 13
366. perle rare (= une personne parfaite) 13
367. permis, permise 6
368. personne 12
369. personne (f) 11
370. perspective (f) 24
371. petite annonce (f) 9
372. peur (f) 14
373. pièce (f) 9
374. pièce de théâtre (f) 2
375. pilote (m) 23
376. pire (= plus mauvais) 17
377. piscine 22
378. pittoresque 11
379. pizza (f) 7
380. place (f) 1
381. plaire à qqn 10
382. plan (m) 4

383. pleurer 15
384. plusieurs 8
385. pointure (f) 10
386. pomme (f) 7
387. populaire 20
388. porter plainte contre qqn
389. poulet, du poulet (m) 7
390. Pourquoi pas ? 11
391. prénom (m) 3
392. près de 1
393. proposer 11
394. protéger qqn ou qqch 24
395. Prudence ! 8
396. Puisque 11
Q 397. quartier (m) 9
398. quelquefois 20
399. Qu'est-ce qu'elle fait dans la vie ? 13
400. Qu'est-ce qui se passe ? / Qu'est-ce qui s'est passé ? 13
401. Qu'est-ce qui t'arrive ? 13
402. qui, que 10
403. Quoi encore ? 10
R 404. randonnée (f) 13
405. ranger 17
406. rappeler qqch (se) 19
407. Rare 13
408. recevoir qqn ou qqch 2
409. refuser qqch 20
410. régaler (se) 14
411. régime (alimentaire) (m) 6
412. remarque (f) 19
413. répéter qqch 23
414. répondeur téléphonique (m) 12
415. répondre à qqn 4
416. ressembler à qqch ou à qqn 10
417. retourner à 2
418. retrouver 18
419. rêver 21
420. rez-de-chaussée (m) 9
421. riche 12, 20
422. rien 12
423. rire 4
424. risque (m) 24
425. rôle en or 2
426. romantique 2
427. route (m) 8
428. route nationale, nationale (f) 14
S 429. saison (f) 5
430. salle de bains (f) / salle d'eau (f) 9
431. salle de séjour 9
432. salon (m) 9, 15
433. sandale, des sandales (f) 10
434. santé (f) 6
435. sauf (= excepté) 5
436. sauvage 11
437. sentir (+ adjectif ou + adverbe) (se) 18
438. séparé(e) 9
439. série télévisée 2
440. sérieux, sérieuse 3
441. si 1
442. signe astrologique (m) 24
443. simple 18
444. site Internet (m) 12
445. soda (m) 6
446. soif (f) 8
447. soldes (m, pl) 10
448. sombre 9
449. sonner 8
450. sorcier (m) 3

451. sortie, la sortie (f) 14
452. sortir en boîte 15
453. souffrir 7
454. souvenir de qqch (se) 19
455. star (f) 2
456. statue (f) 5
457. stressé(e) 3
458. studio (m) 9
459. style (m) 17
460. stylo (m) 14
461. succès (m) 18
462. sucré(e) 7
463. supérieur (m) (= un chef) 24
464. supporter qqch ou qqn 23
465. supposer 11
466. sûr(e) 5
467. surgelé (un produit surgelé) 7
468. surtout 10
T 469. taille (f) 10
470. tante (f) 1
471. tard 2
472. terminer 2
473. terrasse (f) 21
474. tirage du Loto (m) 24
475. toilettes (f, pl) 9, 16
476. toi-même 11
477. toit (m) 14
478. tomber 24
479. tôt 2
480. toujours 8
481. tour (f) 20
482. tournage d'un film (m) 2
483. tout 11, 12
484. tout le chichi. 18
485. toutou 16
486. traverser 14
487. triangle de signalisation (m) 8
488. triste 4
489. tromper (se) 1
490. tromper qqn 13
491. trouver 11, 18
492. Tu es difficile ! 9
493. Tu rigoles ! 24
494. type (fam. = garçon, homme) 21
U 495. unique 5
V 496. vélo (m) 22
497. vendeur (m) / vendeuse (f) 10
498. vendre 12
499. ventre (m) 23
500. vêtement (m) 15
501. vie (f) 13
502. village (m) 11
503. ville (f) 3, 4
504. violon (m) 3
505. visiter 5
506. Vive... ! 1
507. voler qqch à qqn 16
508. volet (m) 14
509. volontaire (m) 15
510. Vous avez raison. 1
511. vous savez 18
512. Voyons... 6
513. voyou (m) 16
W 514. week-end sur deux 1
Y 515. yeux (m, pl) – Attention : singulier : un œil (m) 3
Z 516. Zut ! 11

Glossary

1. Next to 5
2. At home (= where I/we live) 15
3. To abandon 16
4. to bark 17
5. An accent 1
6. An accident, a crash 24
7. To house, to accomodate 12
8. Actor (m), actress (f) 2
9. Goodbye, farewell 11
10. Adolescence 19
11. An adolescent, a teenager 19
12. To help 1
13. Elsewhere, somewhere else 20
14. friendship (f) 24
15. Love (m) 2
16. Lively, animated 9
17. To announce 8
18. A flat, an apartment 9
19. To appreciate something or somebody 24
20. To learn how to do something 23
21. Architecture (f) 4
22. To stop 5
23. To stop 5, 8
24. A district (subdivision of a city) 9
25. An elevator 9
26. To sit down 5
27. Enough, not enough 4
28. Sitting, seated 10, 15
29. A star, a heavenly body 24
30. To fasten 8
31. **Wait!** 1
32. To wait 8
33. **On the edge of** 4
34. At the bottom of 10
35. To increase 18
36. As many, as much 11
37. Author 12
38. A motorway, a freeway 14
39. Around 20
40. Another 20
41. A plane, aeroplane, airplane 23
42. **To need...** 8
43. **To feel like, to want** 7
44. **To be hungry** 8
45. **To be slim, to keep slim** 6
46. **Pain, ache** 23
47. **To be scared out of one's wits** 14
48. **To be thirsty** 8
49. **(To be) wrong** 16
50. **To have a good ear** 1
51. A ring 15
52. To decrease, to drop, to decline 19
53. A balcony 9
54. A bench 16
55. Downstairs 20
56. upmarket areas (= wealthy districts/neighbourhoods) 20
57. a volunteer (m), a volunteer (f) 15
58. bio, biological 7
59. Kisses 6
60. Odd, strange 24
61. Nightclub 15
62. Happiness 2
63. (a good) deal 12
64. **Have a good day!** 6
65. **a good situation** 12

66. Have a nice holiday! / have a good trip
67. To move 11
68. A job 22
69. A handyman 12
70. Noise 9, 17
71. **That seems to...** 9
72. **How much is that? (In total, how much does that cost?)** 7
73. **That's scary. That scares me.** 18
74. **I don't mind. (= I couldn't care less)** 23
75. **That interests me.** 9
76. **That poses a problem.** 20
77. **It's going well. /It's not going well.** 2
78. **That is enough already!** 17, 23
79. **That's quite enough!** 16
80. **It will happen.** 19
81. **That means that...** 9
82. **That's it** 8
83. Cafetaria 3
84. Calm 9
85. Countryside 11
86. A sofa bed 12
87. A road map 14
88. To break, to end 18
89. This one, that one (masc) this one, that on (fem) these ones, those ones (masc) /these ones, those ones (fem) 10
90. The middle 3
91. A town centre 9
92. Some 20
93. **It good for your figure.** 6
94. **She's the love of my life!** 13
95. **It's horrendous!** 19
96. **That's my type.** 21
97. **He/she is marvellous.** 2
98. **It's ridiculous!** 23
99. **It's terrible!** 18
100. **Is that all?** 7
101. **It's too much! (or too strong, loud etc.)** 16
102. A bedroom 9
103. Every 1
104. Charming 9
105. A dog 16
106. To choose 4
107. A choice 18
108. Thing (one thing, something) 10
109. A cigarette 17
110. Light 12
111. To bang, to slam 19
112. A club 22
113. Heart 23
114. anger (f)
115. School 19
116. Co-tenant, flatmate 12
117. Like (comparison) 13
118. Complicated 18
119. A behaviour 19
120. Understanding 22
121. To understand 20
122. To understand 20
123. To drive 8
124. Comfortable, cosy 12

125. Happy 11
126. A contract 18
127. Against 23
128. friendly 11
129. Correspondent, pen pal 4
130. To go to bed 2
131. To cut 24
132. To run 6
133. Short 4
134. A knife 24
135. To cost 10
136. A crisis 19
137. to criticize something or somebody 19
138. To believe 1
139. Cruise 11
140. Leather 12
141. A kitchen 9
142. An open-plan kitchen 9
143. First 5
144. Dangerous 6
145. Gymnastics (f) 6
146. Money 15
147. The other side 4
148. Occasionally 6
149. To decide to do something 22
150. A defect 17
151. To ask somebody to do something 4
152. To move out 21
153. For ages (= for a long time) 20
154. To disturb 17
155. The latest mobile phone (= fashionable) 19
156. Behind, rear, back 21
157. To become 19
158. To guess 13
159. To fall, to decrease 18
160. Direction 14
161. To discuss with somebody 17
162. To dispute 17
163. To get divorced, to divorce 18
164. Don Juan, a lady's man 13
165. To give something to somebody... 7
166. Sweet, gentle 13
167. Flag 10
168. Funny 21
169. A strange story (= bizarre, odd) 15
170. **Calm down** 9
171. DVD 15
172. A broadcast (radio, television) (f) 2
173. To take (along, away, sb to...) 16
174. To take away, to carry off 15
175. Partly 4
176. A place 11
177. A child (m)
178. To shut oneself away 19
179. In a word, at last 5
180. A survey, a report 20
181. Next...5
182. Entire, whole 20
183. To send 12
184. Spinach 7
185. A football team 6
186. To hope 4
187. And then... 5
188. A floor, a storey 9
189. **To be allergic to something** 7

190. **(To be in a good/bad) mood** 19
191. **To be in good condition, to be in bad condition** 8
192. **To be scared out of one's wits** 23
193. Exactly 10
194. To overemphasize, to exaggerate 17
195. Exceptional 24
196. A trip (f) 11
197. An excuse (f) 17
198. To explain 15
199. To explode, to burst out 19
200. Wonderful, exceptional 13
201. University 22
202. Easily 5
203. Hunger 8
204. To meet somebody 3
205. **To go shopping** 10
206. **(To act) stupid** 21
207. **To go on a diet** 6
208. **To make a remark to somebody**
209. **To make a scene with somebody** 19
210. Favourable 24
211. To close 5
212. Faithfull 13
213. The end 2
214. After all, finally 20
215. A flower 21
216. Foie gras 14
217. Once, one time 1
218. Formality 18
219. Crazy, mad, insane 7
220. French-speaking 4
221. To hit 16
222. Cheese 7
223. To smoke 17
224. To win 13
225. Happy, cheerful 4
226. An art gallery 5
227. A literary genre 3
228. Kind 15
229. West, jacket 8
230. To put on weight 6
231. A guide 5
232. Guitar 3
233. Eh 20
234. Happy 2
235. Horoscope 24
236. A town house 5
237. To scream 23
238. Ideal 21
239. **It occurred to me...**15
240. **They have everything** 20
241. **There are loads of people. (= lots of people)** 11, 15
242. **There's a crazy amount of people.** 10
243. An island 21
244. To imagine 11
245. A building 20
246. An immigrant 20
247. Tax, income tax 18
248. Fire 23
249. Independent 12

250. Essential 21
251. To worry 19
252. To join, to register 22
253. Insolent 19
254. Intelligent, clever 21
255. Forbidden, banned 6
256. To invite 24
257. Never 7
258. A garden 5
259. Gamble 24
260. To play 20
261. To play the lottery 24
262. To play (+ sport or board game) 3
263. To play the (+ musical instrument) 3
264. To play 2
265. As far as 14
266. Exactly 2
267. Karate 13
268. To kidnap 16
269. A kilometre 14
270. The Society for the Protection of Animals (SPA) 16
271. A lake 4
272. To leave 11
273. Mine (masculine/feminine/plural) 10
274. Worse, worst... 17
275. Yours (masculine/feminine/plural) 10
276. Which one, which ones 10
277. To get out of bed 2
278. A book 12
279. A tenant (m) 17
280. The french national lottery 13
281. To rent 12
282. Heavy 1
283. To lose weight 6
284. A swimming costume 10
285. A one-piece swimsuit, a two-piece swimsuit (bikini) 10
286. Hand 8
287. Sick, ill, unwell 15
288. Misfortune 24
289. Unlucky 24
290. Manuscript 12
291. To walk 13
292. Marriage 18
293. To get married 18
294. Bad 6
295. The media (m, pl) 4
296. A medicine 6
297. Best 5
298. A melon 7
299. The sea 21
300. **Thank you, how nice!** 22
301. A treasure, a wonder 5
302. Marvellous 2
303. A message 12
304. To measure 11
305. Square metre 9
306. To get angry 17
307. Better 7
308. Billionaire 21
309. One million 8
310. Thin 4
311. Tiny 9
312. Mirror 24
313. Nowadays 19
314. **My sweetheart!** 16
315. **My treasure!** 16

316. World 20
317. To climb up 23
318. To make fun of 17
319. A museum 5
320. Music 2
321. Nature 13
322. No longer able to 6, 19
323. ... never 7
324. Nose 21
325. Neither... nor 18
326. Number 18
327. Normal 17
328. Mark 19
329. New 17
330. Nowhere 19
331. Compulsory 8
332. To busy onself with 9
333. Smell 7
334. Formal 18
335. To offer something to somebody 24
336. Oh, poor thing! 7
337. **We have time.** 5
338. **There's nothing we can do about it.** 15
339. **We've had enough.** 17
340. We see each other 1
341. Uncle 1
342. An orchestra, a band 3
343. Ear 1
344. Original, unusual 12
345. Open 5
346. To open 5
347. To register a civil partenership 18
348. Bread 6
349. A breakdown 23
350. Papers (official) (m pl.) 20
351. The ground 15
352. An umbrella 16
353. The same, similar, alike 10
354. Lazy 22
355. To share 12
356. A partner 2
357. Starting from 2
358. Patient 19
359. A country 4
360. Paint 12
361. To think of doing something 8
362. To lose 6
363. To lose (≠to win) 24
364. To get lost 14
365. Treasure 13
366. A rare gem (= a perfect person) 13
367. Allowed 6
368. Nobody 12
369. (One) person 11
370. Forecast, outlook, prospects 24
371. A (classified) ad (f) 9
372. Fear 14
373. A room 9
374. A play 2
375. pilot/driver 23
376. Worse, worst 17
377. Swimming pool 22
378. Picturesque, colourful 11
379. Pizza 7
380. Seat 1
381. To please somebody 10
382. A map 4
383. To cry 15
384. several

385. Size 10
386. An apple 7
387. Working-class 20
388. To press charges against somebody
389. Chicken 7
390. **Why not?** 11
391. First, christian, given name 4
392. Close (to) 1
393. to propose/suggest
394. To protect 24
395. **Be careful!** 8
396. Since 11
397. A district, an area 9
398. Sometimes 20
399. **What does she do for a living?** 13
400. **What's happening?** 13
401. **What's the matter?** 13
402. Who, what 10
403. **Now what?** 10
404. To go on a hike 13
405. To put away 17
406. To remember, to remind 19
407. Rare, uncommon 13
408. To welcome 2
409. To refuse 20
410. To love (enjoy) 14
411. A diet (food) (m) 6
412. A comment (f) 19
413. To repeat 23
414. An answering machine (m) 12
415. To answer 4
416. To look like 10
417. To go back 2
418. To (re)discover/find 18
419. To dream 21
420. Ground floor 9
421. Rich 12
422. Nothing 12
423. To laugh 4
424. Risk 24
425. A golden role 2
426. Romantic 2
427. Road 8
428. A main road (f) 14
429. Season 5
430. A bathroom (f)/ a shower room (f) 9
431. A living room 9
432. A living room 9
433. Sandal 10
434. Health 6
435. Except 5
436. Remote, wild 11
437. To feel 18
438. Separate 9
439. A TV series 2
440. Serious 3
441. Oh yes 1
442. Sign 24
443. Easy, simple 18
444. Website 12
445. Soda 6
446. Thirst 8
447. Sales 10
448. Dark 9
449. To ring 8
450. A wizard (m) 3
451. An exit, the exit (f) 14
452. To go clubbing 15
453. To suffer 7

454. To remember something 19
455. A star (f) 2
456. A statue 5
457. Stressed 3
458. A studio flat 9
459. Style (m) 17
460. A pen (fountain pen) 14
461. Success 18
462. Sweetened 7
463. A boss (m) (= a manager) 24
464. To bear 23
465. To suppose 11
466. Sure 5
467. Frozen 7
468. Above all 19
469. Size 10
470. Aunt 1
471. Late 2
472. To finish, to end 2
473. A terrace (balcony) 21
474. Draw (of the National lottery) 24
475. Toilets 16
476. Yourself 11
477. Roof 14
478. To fall 24
479. Early 2
480. Always 8
481. A tower 20
482. Making a film (m) 2
483. (Very) 11
484. All the fuss. 18
485. A doggie 16
486. To cross 14
487. Triangle (warning) 8
488. Sad 4
489. To be wrong 1
490. To be unfaithful 13
491. To find 11
492. **You are difficult!** 9
493. **You're kidding!** 24
494. A guy 21
495. Unique 5
496. A bicycle (m) 22
497. A salesman (m) / a saleswoman (f) 10
498. To sell 12
499. Stomach 23
500. Garment, clothes 15
501. Life 13
502. Village 11
503. Town 3
504. Violin 3
505. To visit, to go round 5
506. **Long live...** 1
507. To steal something from somebody 16
508. Shutter 14
509. A volunteer
510. **You are right.** 1
511. **You know** 18
512. **Let's see...** 6
513. Rascal, lout, gangster, hooligan 16
514. Every other weekend 1
515. Eyes, eye 4
516. **Damn!** 11

1. al lado de 5
2. en casa (en mi casa, en nuestra casa) 15
3. abandonar 16
4. ladrar 17
5. un acento 1
6. un accidente 24
7. recibir 12
8. un actor, una actriz 2
9. ¡ Adiós ! 11
10. la adolescencia 19
11. un adolescente, una adolescente 19
12. ayudar a alguien (a hacer algo) 1
13. en otro lugar 20
14. la amistad 24
15. el amor 2
16. animado(a) 9
17. anunciar 8
18. un piso 9
19. apreciar algo o a alguien 24
20. aprender a hacer algo 23
21. la arquitectura 4
22. parar 5
23. pararse 5, 8
24. un distrito 9
25. un ascensor 9
26. sentarse 5
27. suficiente, no lo suficiente 4
28. sentado, sentada 10, 15
29. un astro 24
30. **atar** 8
31. ¡ Espere ! 1
32. **esperar** 8
33. al borde de 4
34. en el fondo de 10
35. aumentar 18
36. tantos... 11
37. un autor 12
38. una autopista 14
39. alrededor de 20
40. otro, otra 20
41. un avión 23
42. **necesitar...** 8
43. **tener ganas de...** 7
44. **tener hambre** 8
45. **mantener la línea** 6
46. **tener dolor de** 23
47. **tener miedo de...** 14
48. **tener sed** 8
49. **no tener razón** 16
50. **tener buen oído** 1
51. un anillo 15
52. bajar 19
53. un balcón 9
54. un banco 16
55. abajo 20
56. los barrios buenos (=los barrios ricos) 20
57. un benévolo, una benévola 15
58. bio, biológico 7
59. besos 6
60. extraño 24
61. una discoteca 15
62. la felicidad 2
63. una ganga 12
64. ¡ **Buenos días !** 6
65. una buena situación 12

66. ¡ **Felices vacaciones !** ¡ **Buen viaje !** 8
67. Moverse 11
68. un curro, curro (trabajo en coloquial) 22
69. un manitas 12
70. un ruido, ruido 9, 17
71. **Parece...** 9
72. **¿ Cuánto vale ?** (¿ **En total, cuánto vale ?** 7
73. **Da miedo. Me da miedo** 18
74. **Me da igual.** (=Me da lo mismo.) 23
75. **Me interesa** 9
76. **Esto supone un problema** 20
77. **Todo va bien / Todo va mal** 2
78. ¡ **Al final es suficiente !** 17, 23
79. ¡ **Es suficiente así !** 16
80. **Va a pasar, esto pasará.** (=Hay que tener paciencia.) 19
81. **Quiere decir que...** 9
82. ¡ **Ya está !** 8
83. una cafetería 5
84. **Calma** 9, 16
85. el campo 11
86. un sofá cama 12
87. un mapa de carreteras 14
88. romper 18
89. éste, aquel /ésta, aquella / éstos, aquellos / éstas, aquellas 10
90. un centro 3
91. un centro urbano 9
92. algunos 20
93. **Es bueno para la línea** 6
94. ¡ **Es la mujer de mi vida !** ¡ **Es el hombre de mi vida !** 13
95. ¡ **Qué horror !** 19
96. **Es mi estilo.** 21
97. **Es alguien maravilloso** 2
98. ¡ **Es ridículo !** 23
99. ¡ **Es terrible !** 18
100. ¿ **Es todo ?** 7
101. ¡ **Qué fuerte !** 16
102. una habitación 9
103. cada 1
104. encantador, encantadora 9
105. un perro, una perra 3
106. elegir 4
107. una elección 7, 18
108. una cosa 10, 15
109. un cigarrillo 17
110. claro(a) 12
111. cerrar de golpe 19
112. un club 22
113. el corazón 23
114. la ira 17
115. un colegio 19
116. un(a) coinquilino(a) 12, 17
117. como (comparación) 13
118. complicado(a) 18, 23
119. un comportamiento 19
120. comprensivo, comprensiva 22
121. comprender 14
122. comprenderse 20
123. conducir 8
124. confortable 12
125. contento, contenta 11
126. un contrato 18

127. contra 23
128. distendido(a) 11
129. un(a) correspondiente 4
130. acostarse 2
131. cortar 24
132. correr 6
133. corto, corta 3
134. un cuchillo 24
135. costar 10
136. una crisis 19
137. criticar algo o alguien 19
138. creer 1
139. un crucero 11
140. el cuero 12
141. una cocina 9
142. una cocina-americana 9
143. Primero... 5
144. peligroso, peligrosa 6
145. gimnasia 6
146. dinero 15
147. del otro lado 4
148. de vez en cuando 6
149. decidir hacer algo 22
150. un defecto 17
151. pedir a alguien hacer algo 4
152. mudarse 21
153. desde hace años (=desde hace mucho tiempo) 20
154. molestar 17
155. el último teléfono móvil (=a la moda) 19
156. detrás 21
157. volverse 19
158. adivinar 13
159. disminuir 18
160. una dirección 14
161. discutir con alguien 17
162. pelearse 17
163. divorciar 18
164. un Don Juan 13
165. dar algo a alguien 7
166. suave, suave 13
167. una bandera 10
168. divertido 13, 21
169. una historia extraña 15
170. ¡ **Tranquilidad !** 9
171. un DVD 15
172. una emisión (de radio, de televisión) 2
173. llevar 16
174. llevarse 15
175. en parte 4
176. un lugar 11
177. un niño, una niña 3
178. encerrarse 19
179. Por último... 5
180. una encuesta 17
181. Después 5
182. entero, entera 20
183. enviar 12
184. espinacas 7
185. un equipo de fútbol 6
186. esperar 4
187. Y... 5
188. una planta 9
189. ser alérgico a algo 7
190. estar de buen humor, de mal humor 19

191. estar bien, estar mal 8
192. estar muerto de miedo 23
193. exactamente 10
194. exagerar 17
195. excepcional 24
196. una excursión 11
197. una excusa 17
198. explicar 15
199. explotar 19
200. extraordinario 13
201. la facultad = la universidad 22
202. fácilmente 5
203. el hambre 8
204. conocer a alguien 3
205. ir de compras 10
206. hacer el idiota 21
207. hacer dieta 6
208. hacer una observación a alguien 8
209. hacer un escándalo a alguien 19
210. favorable 24
211. cerrar 5
212. fiel 13
213. el fin 2
214. finalmente 20
215. una flor 21
216. el foie gras, foie gras 14
217. una vez 1
218. una formalidad 18
219. loco, loca 7
220. francófono 4
221. golpear 16
222. un queso, queso 7
223. fumar 17
224. ganar 13
225. alegre 4
226. una galería de arte 5
227. un género literario 3
228. amable 15
229. un chaleco de seguridad 8
230. engordar 6
231. una guía 5
232. una guitarra 3
233. ¿ qué ? 20
234. feliz 2
235. un horóscopo 24
236. un palacete 5
237. aullar 23
238. ideal 21
239. **Me ha ocurrido...** 15
240. **Hay de todo** 20
241. **Hay demasiada gente** (= mucha gente) 11, 15
242. **Hay muchísima gente** 10
243. una isla 21
244. Imaginar 11
245. un inmueble 20
246. un inmigrante 20
247. un impuesto 18
248. un incendio 23
249. independiente 12, 22
250. indispensable 21
251. preocuparse 14, 19
252. inscribirse 22
253. insolente 19
254. inteligente 21
255. prohibido, prohibida 6

Léxico

256. invitar 24
257. nunca 7
258. un jardín 5
259. un juego 24
260. jugar 20
261. jugar a la Loto 24
262. jugar al, a la, a los (+ deporte o juego de sociedad) 3
263. tocar el, la (+ instrumento de música) 3
264. desempeñar un papel 2
265. hasta 14
266. justo (=exactamente) 2
267. el kárate 13
268. secuestrador 16
269. un kilómetro 14
270. la Sociedad Protectora de Animales 16
271. un lago 4
272. dejar 11
273. el mío, la mía, los míos, las mías 10
274. Lo peor, es... 17
275. el tuyo, la tuya, los tuyos, las tuyas 10
276. el cual, la cual, los cuales, las cuales 10
277. levantarse 2
278. un libro 12
279. un inquilino 17
280. la Loto 13
281. alquilar 12
282. pesado, pesada 1
283. adelgazar 6
284. un traje de baño 10
285. un traje de baño de una pieza, un traje de baño de dos piezas 10
286. una mano 8
287. enferma 15
288. una desgracia 24
289. desgraciado, desgraciada 24
290. un manuscrito 12
291. andar 13
292. una boda 18
293. casarse con alguien 18
294. malo, mala 6
295. los medios de comunicación 4
296. un medicamento 6
297. mejor 5
298. un melón 7
299. el mar 21
300. ¡ Gracias, es precioso ! 22
301. una maravilla 5
302. maravilloso, maravillosa 2
303. un mensaje 12
304. medir 11
305. un metro cuadrado 9
306. enfadarse 17
307. mejor (comparativo de bien) 7
308. multimillonario 21
309. un millón 8
310. delgado 3
311. minúsculo 9
312. un espejo 24
313. en este momento (=ahora) 19
314. ¡ Mi joya ! 16
315. ¡ Mi tesoro ! 16
316. el mundo 20
317. subir 23
318. burlarse de 17

319. un museo 5
320. la música 2
321. la naturaleza 13
322. No poder más de 6, 19
323. no... nunca 7
324. la nariz 21
325. ni 18
326. un número 18
327. normal 17
328. una nota 19
329. nuevo, nueva 17
330. en ninguna parte 19
331. obligatorio 8
332. ocuparse de alguien o de algo 9
333. un olor 17
334. oficial 18
335. regalar algo a alguien 24
336. ¡ Oh, pobrecita ! 7
337. Tenemos tiempo 5
338. No podemos hacer nada 15
339. Ya no podemos más 17
340. Nos vemos. 1
341. un tío 1
342. una orquesta 3
343. una oreja 1
344. original 12
345. abierto, abierta 5
346. abrir 5
347. pasarse con alguien 18
348. Pan 6
349. una avería 23
350. los papeles (oficiales) 20
351. en el suelo 15
352. un paraguas 16
353. igual 10
354. perezoso, perezosa 22
355. compartir 12, 17
356. un(a) colaborador(a) 2
357. a partir de 2
358. paciente 19
359. un país 4
360. la pintura 12
361. pensar en hacer algo 8
362. perder 6
363. perder (en el juego) 24
364. perderse 14
365. una perla 13
366. una perla rara (=una persona perfecta) 13
367. permitido, permitida 6
368. ningún/ninguna 12
369. una persona 11
370. una perspectiva 24
371. un (pequeño) anuncio 9
372. el miedo 14
373. una pieza 9
374. una obra de teatro 2
375. el piloto 23
376. peor (=más que malo) 17
377. una piscina 22
378. pintoresco 11
379. una pizza 7
380. una plaza 1
381. gustar a alguien 10
382. un plano 4
383. llorar 15
384. varios 8
385. una pintura 10

386. una manzana 7
387. popular 20
388. presentar una queja contra alguien
389. un pollo, pollo 7
390. ¿ Por qué no ? 11
391. un nombre 3
392. cerca de 1
393. proponer 11
394. proteger a alguien o algo 24
395. ¡ Prudencia ! 8
396. Puesto que 11
397. un barrio 9
398. alguna vez 20
399. ¿ Qué hace en la vida ? 13
400. ¿ Qué está pasando ? / ¿ Qué ha pasado ? 13
401. ¿ Qué te ocurre ? 13
402. quién, que 10
403. ¿ Qué más ? 10
404. una excursión 13
405. ordenar 17
406. recordarse algo 19
407. Raro 13
408. recibir a alguien o algo 2
409. rechazar algo 20
410. deleitarse 14
411. una dieta alimentaria 6
412. una observación 19
413. repetir algo 23
414. un contestador automático 12
415. responder a alguien 4
416. parecerse a algo o alguien 10
417. volver a 2
418. encontrar 18
419. soñar 21
420. una planta baja 9
421. rico 12, 20
422. nada 12
423. reír 4
424. un riesgo 24
425. un papel de oro 2
426. romántico 2
427. una carretera 8
428. una cartera nacional, una nacional 14
429. una estación 5
430. un cuarto de baño / un aseo 9
431. una sala de estar 9
432. un salón 9, 15
433. una sandalia, sandalias 10
434. la salud 6
435. excepto 5
436. salvaje 11
437. sentirse (+ adjetivo o + adverbio) 18
438. separado(a) 9
439. una serie televisiva 2
440. seria, seria 3
441. si 1
442. un signo del zodiaco 24
443. sencillo 18
444. una página web 12
445. una soda 6
446. la sed 8
447. las rebajas 10
448. oscuro 9
449. sonar 8
450. un brujo 3
451. una salida, la salida 14

452. ir a una discoteca 15
453. sufrir 7
454. acordarse de algo 19
455. una estrella 2
456. una estatua 5
457. estresado(a) 3
458. un estudio 9
459. el estilo 17
460. un bolígrafo 14
461. el éxito 18
462. azucarado(a) 7
463. un superior (= un jefe) 24
464. soportar algo o alguien 23
465. suponer 11
466. seguro(a) 5
467. congelado (un producto congelado) 7
468. sobre todo 10
469. una talla 10
470. una tía 1
471. tarde 2
472. terminar 2
473. una terraza 21
474. el sorteo de la Loto 24
475. los aseos 9, 16
476. tú mismo 11
477. un tejado 14
478. caer 24
479. pronto 2
480. siempre 8
481. una vuelta 20
482. el rodaje de una película 2
483. todo 11, 12
484. Todo el tinglado 18
485. un perro 16
486. atravesar 14
487. un triángulo de señalización 8
488. triste 4
489. equivocarse 1
490. engañar a alguien 13
491. encontrar 11, 18
492. ¡ Eres difícil ! 9
493. ¡ Bromeas ! 24
494. un tipo (fam. = un chico, un hombre) 21
495. único 5
496. una bicicleta 22
497. un vendedor / una vendedora 10
498. vender 12
499. el vientre 23
500. una prenda de ropa 15
501. la vida 13
502. un pueblo 11
503. una ciudad 3, 4
504. un violín 3
505. visitar 5
506. ¡ Viva... ! 1
507. robar algo a alguien 16
508. un postigo 14
509. un voluntario 15
510. Tiene razón 1
511. Sabe 18
512. Veamos 6
513. un golfo 16
514. un fin de semana para dos 1
515. los ojos – Atención : singular : un ojo 3
516. ¡ Jolín ! 11

1. (の)近くに 5
2. 家で(に) (= 私の家で(に), 私達の家で(に)) 15
3. 捨てる。 16
4. ほえる 17
5. アクセント。訛り。 1
6. 事故。 24
7. 迎え入れる。 11
9. さようなら。 11
10. 青春期。 19
11. のように見える。 9
12. 手伝、助ける。 1
13. 他の場所。 20
14. 友情 24
15. 愛情 2
16. 賑やか。 9
17. 知らせる 8
17. 木、樹木。 21
18. アパルトマン。マンション。 9
19. (何)をあるいは、(誰)を好む 24
20. (何)かすることを習う 23
21. 建築、建築物 4
22. やめる。 6
23. とめる。 8
24. 区。 9
25. エレベーター。 9
26. 座る。 10
27. 十分に。 4
28. 座っている。 10
29. 天体。 24
30. 締める。 8
31. 待って下さい！1
32. 待つ。 8
33. の端/ふちに 4
34. の奥/底に 10
35. 増える、増加する。 18
36. 程多い。 11
37. 作家。 12
38. 高速道路。 14
39. 周りに。 20
40. 他の。 20
41. 飛行機。 23
42. 必要。 8
43. バーベキュー。 17
44. お腹が空いています 8
45. スリムである、スリムな体型を保っている 6
45. スタイル、様式 17
48. 喉が渇いている 8
50. 耳がいい。 1
51. 指輪。 15
52. 減る。 19
53. バルコニー 9
54. ベンチ。 16
55. 下（した）。 20
56. 美しい界隈（= 裕福な界隈）20
57. ボランティア 15
58. オーガニックの 7
59. キス。 4
60. 変。 24
61. ナイト・クラブ。 15
62. 幸せ。 2

62. ソファー。 12
63. （良い）商売。 12
64. 良い一日を！6
65. 良い状況、良い地位 12
66. この。 5
67. 動く。 11
68. 仕事。 22
69. 器用な修理の出来る。 12
70. 騒音（うるさい）。 9
71. ・・・のような 9
72. いくらですか？(全部でいくらですか？) 7
73. 驚くなぁ。驚くなぁ。 18
74. どうでもいいよ。(= どうでもいいよ。) 23
75. 興味があります。 9
76. それは困ります。 20
77. いい調子です。上手くいきません。 2
78. もううんざり！17/23
79. こんな事はもううんざり！16
80. 大丈夫、なんとかなりますよ。(= 我慢すれば、なんとかなりますよ。) 19
81. それはつまり・・・ 9
82. さぁ、終わった！8
83. カフェテリア。 3
84. 静かな。 9
85. 田舎。 11
86. ソファ・ベッド。 12
87. 道路地図。 14
88. (縁を切る)こわす。 18
89. これ、あれ(男性/単数) / これ、あれ(女性/単数) / これら、あれら(男性/複数) / これら、あれら(女性/複数) 10
90. 真中。 3
91. 中心街 9
92. 一部の 20
93. スリムなボディーラインを保つのにいいです。 6
94. 僕の運命の女性だ!私の運命の男性だわ!13
95. あり得ない！19
96. 私の好みです。 21
97. 素晴らしい人です。 2
98. ばからしい！23
99. すごい！18
100. それで全部ですか? 7
101. それはあり得ないわ！16
102. 寝室 9
103. 毎。 1
104. 素敵な。 魅力的な。 9
105. 犬。 16
106. 選ぶ。 4
107. 選ぶこと。 18
108. 物、事。 10
110. 明るい。 12
111. バタンと閉める。 19
112. クラブ。 22
113. 心臓。 23
114. 怒り 17
115. 中学校。 19
116. 共同借家人。 12
117. のような (比較) 13

118. 複雑な。 18
119. 態度。 19
120. 理解のある。 22
121. 分かる。 20
122. 理解しあう。 20
123. 運転する。 8
124. 心地の良い。 12
125. 満足。 11
126. 協定。 18
127. 反対。 23
128. 和気あいあいの、くつろいだ 11
129. ペンフレンド。 4
130. 寝る。 2
131. 切る。 24
132. 走る。 6
133. 短い。 4
134. ナイフ。 24
135. (いくらですか？)値段が・・・である。 10
136. 発作。 19
137. (何か)、あるいは (誰か)を批判する 19
138. 信じる 1
139. 遊覧船にのって旅をする。 11
140. 革（かわ）。 12
141. 台所。 9
142. オープンキッチン 9
143. 先ず。 5
144. 危ない。 6
145. 体操 6
146. 決める。 22
146. 仲 (がいい、悪い)。 4
147. 向こう/反対側に(から) 4
148. 時々。たまに。 6
149. (何か)することを決める 22
150. 欠点ず 17
151. (何か)することを(誰か)に頼む 4
152. 引っ越す。 21
153. 何年も前から (= ずっと以前から) 20
154. 邪魔をする 17
155. 最新モデルの携帯電話(=流行の) 19
156. ～の後ろ。 21
157. 成る。 19
158. いいあてる。 13
159. 減る。 18
160. 方向。 14
161. (誰か)と話す 17
162. 有名 18
162. 口論する 17
163. 離婚する。 18
164. 女たらし。 13
165. (何か)を(誰か)に与える 7
166. 優しい、甘い。 13
167. 旗。 10
168. ユーモアのある。 21
169. 面白い話(=変な、奇妙な) 15
170. 静かにしろ！9
171. D V D。 15
172. 番組(ラジオの、テレビの) 2
173. 持って行く。連れて行く。 16

174. 持ってゆく。 15
175. 部分的に。 4
176. 場所、所。 11
177. 子供 3
178. 閉じこもる。 19
179. そして（最後のそして）。 5
180. 煙。 17
181. 次に・・・ 5
182. 全（全世界、全体、全部）。 20
183. 送る。 12
184. ホウレンソウ。 7
185. サッカーのチーム 6
186. 期待する。 4
187. そして・・・ 5
188. 階。 9
189. (何)にアレルギーを起こす 7
190. 機嫌。 19
191. いい状態です、悪い状態です 8
192. 怖くて死にそう。 23
193. その通り 10
194. おおげさに言う。 17
195. 例外的。 24
196. 遠足 11
197. 言い訳 17
198. 説明する。 15
199. 激怒する。(爆発した)。 19
200. すごい、例外的。 13
201. 大学。 22
202. 簡単に。 5
203. 空腹。 8
204. 知り合う。 3
205. ショッピングをする 10
206. 馬鹿げる。いたずらする。しらんふりをする。 21
207. ダイエットする 6
208. (誰)に一言注意をする 1
209. (誰)にわめき散らす 19
210. 運がむいている。 24
211. 閉める。 5
212. 浮気をしない。 13
213. 終わり。 2
214. 結局。 20
215. 花。 21
216. フォア・グラ。 14
217. 一回。 1
218. 手続き。 18
219. きちがい。 7
220. フランス語を話す。 4
220. (楽器)を弾く。 3
221. 殴る。 16
222. チーズ。 7
223. たばこを吸う。 17
224. 当たる、勝つ。 13
225. 陽気。明るい。 4
226. アート・ギャラリー 5
227. 文学のジャンル 3
228. 優しい。 15
229. 救命衣。 8
230. 太る。 6
231. ガイド 5
232. ギター。 3
233. ねえ 20

234. 幸せ。 2
235. 星占い。 24
236. 館。 一軒家。 5
237. 喚（わめ）く。 23
238. 理想。 21
239. ・・・が私に起こった 15
240. ちょっとした事がたくさん ある。 20
241. かなりの人がいます。(= 多くの人) 11/15
242. 大変な人ごみです。 10
243. 島。 21
244. 想像する。 11
245. 建物。 20
246. 移民。 20
247. 税金。所得税。 18
248. 火事。 23
249. 独立した。 別になっている。 12
250. 不可欠。 21
251. 心配する 14/19
252. 登録する。 加入する。 22
253. 無礼。無礼な。 生意気。 19
254. 利口。 21
255. 禁止。 6
256. 招待する 24
257. 決して・・・ない。 7
258. 庭。 5
259. 賭。 24
260. 遊ぶ。 20
261. ロトに賭ける 24
262. をする、の賭け事をする(+スポーツ、あるいは賭け事) 3
263. を演奏する(+楽器) 3
264. （役）を演じる。 2
265. まで。 14
266. ちょうど (= 正確に) 2
267. 空手。 13
268. 誘拐する。 16
269. キロメートル。 14
270. SPA :動物保護団体 16
271. 湖。 4
272. 残す。 11
273. 私のもの(単数/男性)、私のもの(単数/女性)、私のもの(複数/男性)、私のもの(複数/女性) 10
274. よりひどい。 17
275. 君のもの(単数/男性)、君のもの(単数/女性)、君のもの(複数/男性)、君のもの(複数/女性) 10
276. どちら。 10
277. 起きる。 2
278. 本。 12
279. 借家人 17
280. ロト。（フランスの宝くじ。） 13
281. 借りる。 12
282. 重い。 1
283. 痩せる。 6
284. 水着。 10
285. ワンピースの水着、セパレーツの水着 10

286. 手。 8
287. 病気。 15
288. 不幸 24
289. 不幸な。 24
290. 手で書かれた。 原稿。 12
291. 歩く。 13
292. 結婚。 18
293. 結婚する。 18
294. 悪い。 6
295. メディア、マスコミ 4
296. 薬。 6
297. 一番いい。 5
298. メロン。 7
299. 海。 21
300. ありがとう、ご親切に！22
301. 見事。 5
302. 見事な。 2
303. メッセージ。 12
304. 計る。 ～ の大きさです。 11
304. 起こる。 13
305. 平方メートル。 9
306. 怒り出す 17
307. よりいい。 7
308. 億万長者。 21
309. 百万。 8
310. ホッソリした。 4
311. ごく小さい。 9
312. 鏡。 24
313. 今。 19
314. 私の宝石！16
315. 私の宝物！16
316. 世界。 20
317. 登る。 23
318. をばかにする、からかう 17
319. 美術館。 5
320. 音楽。 2
321. 自然。 13
322. もう・・・できない 6/19
323. 決して・・・ない 7
324. 鼻。 21
325. も～ もない。 18
326. 数。 18
327. 普通です。 17
328. 成績。点数。 19
329. 新しい 17
330. どこにもない。 19
331. 義務的。 8
332. に忙しい。 9
333. 匂い。 17
334. 公式の。 18
335. (何か)を(誰か)に贈る 24
336. なんて、かわいそうに！7
337. 時間があります。 5
338. どうしようもない。 15
339. もううんざりです。 17
340. 会おう。 会おう。 1
341. （叔父、伯父） おじさん。 1
342. 楽団。 3
343. 耳。 1
344. 普通ではない。 12
345. 開いている、開放された 5
346. 開く。 5
347. パックスを結ぶ。 18
348. パン。 6

349. 故障。 23
350. 身分証明書 20
351. 地面。 15
352. 雨傘。 16
353. 同様の。 10
354. 怠け者。 22
355. 共有する。 12
356. パートナー。 仲間。 2
357. 決心。 22
358. 我慢強い 19
359. 国。 9
360. ペンキ。 12
361. (何か)しようと思う 8
362. なくす。 6
363. 負ける。 24
364. 迷う。 14
365. 宝。 13
366. たぐいまれな人 (= 完璧な人) 13
367. 許されている。 6
369. 人。 11
370. 見込み。 24
371. 掲示板広告 9
372. 恐怖。 14
373. 部屋。 9
374. 芝居。 2
375. パイロット 23
377. プール。 22
378. 生き生きした。 11
379. ピザ。 7
380. 席。 1
381. (誰か)の気に入る 10
382. 図。 4
383. 泣く。 15
384. 何人/いくつかの 8
385. サイズ。 10
386. りんご。 7
387. 庶民的。 20
388. (誰か)を告訴する
389. チキン。 鳥。 7
390. いいんじゃない。 11
391. 名。 4
392. の近くに、そばに 1
393. 提案する、勧める 11
394. 守る。 24
395. 注意。 8
396. ・・・だから、なので 11
397. 街、地区。 9
398. 時々 20
399. 彼女の仕事はなんですか？13
400. どうしたんだい？何があったのですか？13
401. 何があなたにあったのですか？13
402. 誰、何 10
403. まだ 何か？10
404. 徒歩旅行。 ハイキング。 13
405. 片付ける、整理する 17
406. 思い出す。 19
407. （稀）まれ。 13
408. 歓迎する。 2
409. 断る。 20
410. ご馳走を食べる、楽しむ 14
411. ダイエット(食事療法) 6
412. 注意、コメント 19

413. 繰り返す。 23
414. 留守番電話 12
415. 答える。 4
416. 似ている。 10
417. 戻る。 2
418. 屋根。 14
419. 夢見る 21
420. 一階。 9
421. 金持ち。 12
422. 何も 12
423. 笑う。 4
424. 危険。 24
425. 当たり役 2
426. ロマンチックな。 2
427. 道路。 9
428. 国道 14
429. 季節。 5
430. バスルーム/シャワールーム 9
431. 居間、リビングルーム 9
432. 居間。 14
432. 浮気をする。 13
433. 見つける。 11
435. 売る。 12
436. 野生の。 11
437. 確認する。 8
438. 服。 15
439. 連続テレビ番組 2
440. 村。 11
441. いいえ、そうですよ。（否定の質問に対して）1
442. バイオリン。 3
443. 見物する。 見学する。 5
444. 万歳。 1
445. 盗む。 16
446. 鎧戸（よろいど）。 シャッター。 14
447. バーゲン・セール。 10
448. 暗い。 9
449. 鳴る。 鳴らす。 8
450. 魔法使い 3
451. 出口、公開、発売、外出 14
452. クラブに行く 15
453. 苦しみ。 7
454. (何)を覚えている、思い出す 19
455. スター 2
456. 彫刻。 5
457. ストレスの溜まっている。 3
460. 万年筆。 ペン。 14
461. 成功。 18
462. 甘い。 7
463. 上司(=リーダー) 24
464. 耐える。 23
465. 仮定する。 11
466. 確信。確か。 間違いない。 5
467. 冷凍。 7
468. 何より。 19
469. サイズ。 10
470. 叔母。伯母。 1
471. 遅い。 遅く。 2
472. 電話する。 8
473. テラス。 21
474. ロト。 宝くじの懸賞。 24

Lexique japonais / Japanese glossary

N° de projet : 10185126 - Dépôt légal : mai 2013

Imprimé en Italie en avril 2013 par Grafica Veneta